COLLECTION POÉSIE

TRISTAN CORBIÈRE

Les Amours jaunes

SUIVI DE

Poèmes retrouvés

ET DE

Œuvres en prose

Préface de Henri Thomas

Édition établie
par Jean Louis Lalanne

GALLIMARD

PLUS PRÉSENT QUE JAMAIS,
TRISTAN CORBIÈRE

Parmi les cinq poètes auxquels Verlaine a consacré les brèves études publiées en 1884 sous le titre Les Poètes maudits, *Tristan Corbière* figure en tête. Peut-être s'agissait-il seulement de mettre les cinq noms dans l'ordre alphabétique, mais cet ordre ici tombait juste. Tristan Corbière est vraiment resté en France, jusqu'à ce jour, le maudit par excellence, au sens où l'entendait Verlaine, c'est-à-dire le plus méconnu, ou du moins le plus mal connu, le plus secret de ces cinq poètes, dont les autres, rappelons-le, sont Mallarmé, Rimbaud, Marceline Desbordes-Valmore, et Villiers de l'Isle-Adam. Or il est au moins leur égal, novateur, et le seul aussi en qui resurgisse quelque chose qui était perdu depuis Villon.

Sur sa brève existence (juillet 1845-mars 1875), les données, qui abondent pour Rimbaud et Mallarmé, et même pour Marceline, sont presque aussi rares et douteuses que sur Lautréamont.

Il est aisé, certes, et aucun critique (sauf quelques étrangers, et surtout T.S. Eliot) ne s'est privé de cette facilité, de faire de lui un poète breton, sinon le poète breton, le poème le plus souvent cité de lui étant « La rapsode foraine et le pardon de sainte Anne », qui peut passer en effet pour le chef-d'œuvre du folklore armoricain. Verlaine lui-même, qui avait lu très vite Les Amours jaunes *(on lui avait prêté pour quelques jours seulement ce livre rarissime)* insiste un peu trop sur cet aspect de l'œuvre, encore qu'il en saisisse bien les autres éléments. Avec l'édition de Le Goffic, grand celtisant et lettré scrupuleux *(cette édition, introuvable aujourd'hui, comporte une photographie de Corbière* dandy, *et la reproduction d'une gravure étonnante qui est l'œuvre de Corbière même)*, l'auteur des Amours jaunes *n'en prend pas moins rang, le plus haut assurément, parmi les poètes qui sont l'honneur de la Bretagne. Et l'œuvre assez volumineuse du père de Corbière, Édouard, ajoute encore au malentendu : n'est-il pas l'auteur de nombreux romans,* Le Négrier, Les Pilotes de l'Iroise, *dont les héros sont les marins bretons?*

C'est cependant avec ce père, beaucoup plus connu que son fils à la mort de celui-ci, et qui, outre ses années de capitaine au long cours, avait eu une carrière assez mouvementée de journaliste, de publiciste et d'homme d'affaires, que commencent le doute et les obscurités sur ce que fut en réalité l'existence de son fils, tardif du côté paternel *(le père a cinquante ans à sa naissance)*, et tôt venu du côté maternel *(Aspasie Corbière a dix-huit ans à la naissance de Tristan)*. Le père n'est pas d'origine bretonne, mais languedocienne ou plutôt cévenole, — et la mère? Aucun acte de naissance ne nous renseigne sur ses origines ; il est dit seulement qu'elle était la fille « d'un ami de la famille ». Les quelques lettres d'elle qui figurent dans la correspondance échangée avec son fils collégien à Saint-Brieuc révèlent une personnalité assez falote et distraite, que Tristan paraît avoir assez vite jugée. Elle est totalement absente *(et le père à peine présent par la dédicace générale : « A l'auteur du* Négrier *»)* dans l'œuvre du poète. Quelques vers des sonnets intitulés « Paris », au début des Amours jaunes, *donnent à songer que la très jeune Aspasie (prénom peu commun en Bretagne!) pouvait être d'ascendance antillaise, peut-être créole (Édouard Corbière a navigué pendant six années entre Le Havre, les Antilles et le Brésil).*

Renie, *écrit Corbière, s'adressant au poète « monté »*
à Paris, et qui est évidemment lui-même,

> Ta lande et ton clocher à jour,
> Les mornes de ta colonie
> Et les *bamboulas* au tambour.

Ces deux derniers vers sont, dans leur précision, d'une
fantaisie inexplicable, s'ils ne contiennent aucune allusion
à des souvenirs familiaux relativement proches. S'ils sont
les seuls dans toute l'œuvre à évoquer un monde connu de
son père seul (auteur, par ailleurs, d'un volume intitulé
Élégies brésiliennes), remarquons aussi que la « lande et
le clocher à jour » ne reparaîtront pas davantage comme
thème personnel et nostalgique de l'adolescence. C'est une
autre Bretagne, extraordinairement différente, qui surgira
dans Armor *et* Gens de mer.

Le seul séjour qui semble avoir été familier à Corbière
(en dehors de la mer, à la fin, qui n'appartient à per-
sonne), le seul où il ait connu le grand tourment de sa vie,
et une sorte de dandysme bohème parfois heureux, c'est
Paris, *et plus précisément le Montmartre des peintres*
ratés et des filles trop réussies, où il vivait lorsque la mala-
die qui le minait depuis longtemps eut raison de lui. Les
poèmes parisiens ne laissent pas de doute à cet égard :

> C'est très parisien dans les rues,
> Quand l'Aurore fait le trottoir,
> De voir sortir toutes les Grues
> Du violon, ou de leur boudoir...
> ....
> C'est le *Persil* des gueux sans poses,
> Et des riches sans un radis...
> — Mais ce n'est pas pour vous ces choses,
> Ô provinciaux de Paris !...

Étranger cependant à ce « paradis » (de bastringue)

> Où les dieux souteneurs se giflent !

les sonnets « Paris » témoignent par ailleurs d'une pro-
fonde détresse limitée peut-être au début du séjour dans

> la fourmilière,
> Bazar où rien n'est en pierre,
> Où le soleil manque de ton...

étranger aussi bien en Bretagne, où le « poète contumace »,
réfugié solitaire dans la « borgne tourelle », fait dire aux
gens du cru :

> Le curé se doutait que c'était un lépreux ;
> Et le maire disait : — Moi, qu'est-ce que j'y peux,
> C'est plutôt un Anglais... un *Être*.

La vie si brève de Tristan Corbière apparaît dès lors
comme une obstinée dérobade, non pas involontaire,
craintive ou panique, mais très tôt voulue, et maintenue
jusqu'à la fin avec une singulière énergie. Il est, si l'on
ose dire, puissamment aidé en cela par son état maladif,
auquel il faut attribuer l'interruption de ses études au
lycée de Nantes à la veille du baccalauréat ; mais il n'est
pas l'autodidacte que l'on s'est plu à voir en lui ; l'étude
des classiques et des modernes fut presque aussi complète
chez lui que chez Rimbaud, et l'œuvre témoigne d'amples
lectures, très curieusement assimilées.

Les maux physiques (au nombre desquels peut-être
la surdité — comment expliquer sinon la « Rapsodie du
sourd », d'un caractère si personnel, si « vécu » ?), lui
interdisent toute activité utilitaire. Il n'est nullement
certain que la vie active eût été pour lui celle d'un marin
du commerce comme son père ; il est probable que la
maladie, surtout vers la fin, le rapproche de la mer, la
familiarise avec elle mieux que ne l'aurait fait aucune
profession de navigateur négociant. Quels qu'aient été
ses maux (« rhumatisme articulaire » ou tuberculose,
on ne possède aucun diagnostic), s'ils l'empêchent d

« *travailler* » *(la fortune bourgeoise de la famille pour-*
voira à de vaines cures et aux fantaisies d'une vie pari-
sienne où il ne semble pas avoir connu personnellement la
dèche, s'il en a perçu les affres chez les vagues compa-
gnons de la « *bohème de chic* »*), ils ne l'empêcheront pas*
de vivre au moins quelques années avec une rare intensité.
Une partie des Amours jaunes (celle qui porte ce titre,
donné ensuite à tout le recueil, qui comprend, avec Armor,
Gens de mer et les Rondels pour après, des éléments
très différents), est l'impitoyable relation d'une passion,
rarement heureuse, le plus souvent torturante, dont le
cours se laisse deviner, et qui n'a d'extraordinaire, en
somme, que les réactions de Corbière à ce qu'il nommera

L'Éternel Féminin de l'éternel Jocrisse !

Cette passion, pour une jeune comédienne d'origine
italienne, est d'une âpreté, d'une tendresse et d'une mé-
chanceté sans égal dans la poésie du siècle. Il y mettra
fin, à la fois volontairement et « *de guerre lasse* »*, d'une*
façon où paraît un goût de l'absolu qui s'affirmera nette-
ment dans la suite des poèmes personnels (car Armor et
Gens de mer cessent de l'être). Cette rupture se marque,
sur le mode ironique, dans le poème « *A une camarade* »

L'Amour entre nous vient battre de l'aile :
— Eh ! qu'il s'ôte de devant mon soleil !
. . . .
Mon amour, à moi, n'aime pas qu'on l'aime ;
Mendiant, il a peur d'être écouté...
C'est un lazzarone enfin, un bohème,
Déjeunant de jeûne et de liberté.

L'idée d'un certain bonheur ainsi rejeté, Corbière n'en a
pas fini avec la vie : un autre duel se découvre, plus diffi-
cile que le premier, et dont l'issue ne dépendra pas de sa
propre volonté, car celle-ci est elle-même déchirée par

*l'étrange conflit : c'est le duel avec lui-même, la passion de
n'être que ce qu'il est — ce qu'il nomme ça — et il se
heurte ici à l'inévitable contradiction de toute conscience,
qui veut que le regard ne puisse lui-même se saisir. Il a
tout repoussé au rang d'objet : amour, société, Art :*

L'Art ne me connaît pas. Je ne connais pas l'Art.

(Poème liminaire, bizarrement daté : Préfecture de
Police, 20 mai 1873.)
— *mais il lui reste l'insoluble* je, *lequel, contrairement à
la fameuse affirmation de Rimbaud, ne saurait jamais être
« un autre ». La pensée de Corbière aboutit là à une sorte
de vertige sur lequel s'achève le dernier groupe de poèmes
personnels :* « Paria », *décisive profession de refus où
l'orgueil et l'humilité sont ensemble poussés à l'extrême :*

Ma pensée est un souffle aride :
C'est l'air. L'air est à moi partout,
Et ma parole est l'écho vide
Qui ne dit rien — et c'est tout.

*Ce poème semble bien avoir été écrit après que la surdité
eut coupé Corbière de toute communication normale avec
ses semblables. Il est entré désormais dans le domaine où
« La rapsodie du sourd » nous le montre comme précipité
par une traîtrise de la vie, et d'abord désemparé plus qu'à
tout autre coup du sort :*

— Va te coucher, mon cœur! et ne bats plus de l'aile.
Dans la lanterne sourde étouffons la chandelle,

*C'est dans ce domaine cependant que, par un ressaisisse-
ment qu'il faudrait qualifier d'héroïque, si tout chez
Corbière n'était affecté d'une ironie secrète qui déconte-
nance les « grands mots » (« les grands poètes que j'ai
lus ») et dénonce l'héroïsme écrit comme une attitude du*

répertoire littéraire — *c'est là, dans une solitude hantée,*
que son génie trouve accès à un monde nouveau, inexploré
jusqu'à lui, et où la poésie moderne fait figure de suiveuse.
La « Litanie du sommeil », jaillissement d'images sans
liens apparents, mais dont l'unité cachée est celle d'une
libération proprement onirique, peuple à l'infini la soli-
tude de l'homme pour qui l'Autre n'est plus à présent
que le Ruminant, celui qui ignore perpétuellement
sommeil et réveil, étant plongé dans l'épaisse ignorance
de soi :

> Ruminant! Tu n'as pas L'INSOMNIE, éveillé;
> Tu n'as pas LE SOMMEIL, ô sac ensommeillé!

La « Litanie du sommeil » est en fait celle de l'insomnie,
mais d'une insomnie accueillie, acceptée, où le sommeil
est plutôt différé que hors de portée, appelé et refusé en
même temps par l'image qui jaillit à son approche,
libérant les rêves, les désirs, l'expérience même de toute
une vie, où une espérance infinie est encore présente,
comme un élan dépassant tout le vécu :

> Sombre lucidité! Clair-obscur! Souvenir
> De l'Inouï! Marée! Horizon! Avenir!
> Conte des *Mille-et-une-nuits* doux à ouïr!

Je serais tenté, malgré la grande différence de thème et de
langage, de voir dans Armor *et* Gens de mer, *et dans les*
Rondels pour après, *la suite logique de la « Litanie du*
sommeil ». Le moi du poète a disparu en même temps que
'eros exaspéré qui était sa manifestation dominante. Ce
qui demeure et persistera jusqu'à la nuit finale, c'est la
pure conscience du réel, d'un monde connu, familier ou
lointain, mais présent; dans le souvenir même, c'est la
chose souvenue qui apparaît, et de cette réalité d'expé-
rience à la vision émanée de plus loin, venue d'un in-
conscient qui correspond à une expérience plus ancienne,

le passage est en quelque sorte involontaire, fatal. L'Autre était encore présent comme ennemi à l'orée et à l'issue de la « Litanie du sommeil ». Dans Armor et Gens de mer, le moi malade et humilié du poète s'est effacé, ou plutôt une conversion s'est opérée qui est le secret même du génie poétique, et ne peut s'analyser en termes logiques: la détresse humaine qu'il n'éprouve plus pour son propre compte, il la ressent pour tous: misère, horreur, cruauté primitives, et même le supplice du besoin d'aimer — car l'histoire du Bossu Bitor, où Corbière use de l'argot des équipages avec une maîtrise qui n'aura d'égale que celle de Céline dans l'argot de la pègre urbaine, est un atroce poème d'amour, où il est possible de retrouver, non pas transposé artificiellement, mais vécu dans un autre monde, l'aventure de Corbière dans ce qu'il faut bien nommer le bordel de la vie.

Puis viennent, isolés et placés en italiques par Corbière lui-même à la fin de l'œuvre, les Rondels pour après, suite de berceuses pour un mort qui est Tristan lui-même, et qui n'ont d'équivalent chez aucun autre poète passé ou présent. Même les vers bien connus de Baudelaire en louange à la mort:

C'est l'Auberge fameuse inscrite sur le Livre,
Où l'on pourra rêver, et dormir, et s'asseoir...

ont quelque chose de rhétorique, comparés à cette voix qui murmure:

Va vite, léger peigneur de comètes!
Les herbes au vent seront tes cheveux;
De ton œil béant jailliront les feux
Follets, prisonniers dans les pauvres têtes...

Les fleurs de tombeau qu'on nomme Amourettes
Foisonneront plein ton rire terreux...
Et les myosotis, ces fleurs d'oubliettes...

Cette voix n'a été jusqu'à présent écoutée et véritablement comprise, chose étrange, que par quelques poètes d'Angleterre et d'Amérique, au premier rang desquels T.S. Eliot et Ezra Pound. En France, après Verlaine dont le flair infaillible en matière poétique l'a deviné — comme il avait deviné Rimbaud adolescent, il faut nommer Jules Laforgue parmi ceux qui lui furent sensibles; mais il est douteux que Laforgue, ivre de métaphysique allemande, et de la pire, ait senti, sous l'ironie et le refus de toute transcendance de Corbière, la présence d'une pensée implacablement cohérente, et qui n'exclut pas, mais accompagne d'une pirouette bouffonne, l'évocation du gouffre cosmique où se perd toute existence particulière :

Je voudrais être un point épousseté des masses,
Un point mort balayé dans la nuit des espaces,
    ...Et je ne le suis point !

                                        Henri Thomas.

LES
AMOURS JAUNES

Par Tristan Corbière

ÇA — LES AMOURS JAUNES — RACCROCS
SÉRÉNADE DES SÉRÉNADES
ARMOR — LES GENS DE MER
RONDELS POUR APRÈS

PARIS
LIBRAIRIE DU XIXᵉ SIÈCLE
GLADY FRÈRES, ÉDITEURS
10, RUE DE LA BOURSE, 10
1873

A l'auteur du Négrier.

T. C.

À MARCELLE

LE POÈTE ET LA CIGALE

Un poète ayant rimé,
            IMPRIMÉ
Vit sa Muse dépourvue
De marraine, et presque nue :
Pas le plus petit morceau
De vers... ou de vermisseau.
Il alla crier famine
Chez une blonde voisine,
La priant de lui prêter
Son petit nom pour rimer.
(C'était une rime en elle)
— Oh ! je vous paîrai, Marcelle,
Avant l'août, foi d'animal !
Intérêt et principal. —
La voisine est très prêteuse,
C'est son plus joli défaut :
— Quoi : c'est tout ce qu'il vous faut?
Votre Muse est bien heureuse...
Nuit et jour, à tout venant,
Rimez mon nom... Qu'il vous plaise !
Et moi j'en serai fort aise.

Voyons : chantez maintenant.

Ça

ÇA?

What?...

SHAKESPEARE.

Des essais? — Allons donc, je n'ai pas essayé!
Étude? — Fainéant je n'ai jamais pillé.
Volume? — Trop broché pour être relié...
De la copie? — Hélas non, ce n'est pas payé!

Un poëme? — Merci, mais j'ai lavé ma lyre.
Un livre? — ... Un livre, encor, est une chose à lire!...
Des papiers? — Non, non, Dieu merci, c'est cousu!
Album? — Ce n'est pas blanc, et c'est trop décousu.

Bouts-rimés? — Par quel bout?... Et ce n'est pas joli!
Un ouvrage? — Ce n'est poli ni repoli.
Chansons? — Je voudrais bien, ô ma petite Muse!...
Passe-temps? — Vous croyez, alors, que ça m'amuse?

— Vers?... vous avez flué des vers... — Non, c'est heurté.
— Ah, vous avez couru l'Originalité?...

— Non... c est une drôlesse assez drôle, — *de rue* —
Qui court encor, sitôt qu'elle se sent courue.

— Du *chic* pur? — Eh qui me donnera des ficelles!
— Du haut vol? Du haut-mal? — Pas de râle, ni d'ailes!
— Chose à mettre à la porte? — ... Ou dans une maison
De tolérance. — Ou bien de correction? — Mais non!

— Bon, ce n'est pas classique? — A peine est-ce français!
— Amateur? — Ai-je l'air d'un monsieur à succès?
Est-ce vieux? — Ça n'a pas quarante ans de service...
Est-ce jeune? — Avec l'âge, on guérit de ce vice.

... ÇA c'est naïvement une impudente *pose*;
C'est, ou ce n'est pas *ça* : rien ou quelque chose...
— Un chef-d'œuvre? — Il se peut : je n'en ai jamais fait.
— Mais, est-ce du huron, du Gagne, ou du Musset?

— C'est du... mais j'ai mis là mon humble nom d'auteur,
Et mon enfant n'a pas même un titre menteur.
C'est un coup de raccroc, juste ou faux, par hasard...
L'Art ne me connaît pas. Je ne connais pas l'Art.

                    Préfecture de police, 20 mai 1873.

PARIS

          Bâtard de Créole et Breton,
          Il vint aussi là — fourmilière,
          Bazar où rien n'est en pierre,
          Où le soleil manque de ton.

— Courage! On fait queue... Un planton
Vous pousse à la chaîne — derrière! —
... Incendie éteint, sans lumière;
Des seaux passent, vides ou non. —

Là, sa pauvre Muse pucelle
Fit le trottoir en *demoiselle*,
Ils disaient : Qu'est-ce qu'elle vend?

— Rien. — Elle restait là, stupide,
N'entendant pas sonner le vide
Et regardant passer le vent...

☆

Là : vivre à coups de fouet! — passer
En fiacre, en correctionnelle;
Repasser à la ritournelle,
Se dépasser, et trépasser!...

— Non, petit, il faut commencer
Par être grand — simple ficelle —
Pauvre : remuer l'or à la pelle;
Obscur : un nom à tout casser!...

Le coller chez les mastroquets,
Et l'apprendre à des perroquets
Qui le chantent ou qui le sifflent...

— Musique! — C'est le paradis
Des mahomets et des houris,
Des dieux souteneurs qui se giflent!

☆

> « *Je voudrais que la rose, — Dondaine*
> « *Fût encore au rosier, — Dondé !* »

Poète — Après?... Il faut *la chose* :
Le Parnasse en escalier,
Les Dégoûteux, et la Chlorose,
Les Bedeaux, les Fous à lier...

L'Incompris couche avec sa pose,
Sous le zinc d'un mancenillier ;
Le Naïf « *voudrait que la rose,
Dondé ! fût encore au rosier !* »

« *La rose au rosier, Dondaine !* »
— On a le pied fait à sa chaîne.
« *La rose au rosier* »... — Trop tard ! —

... « *La rose au rosier* »... — Nature !
— On est essayeur, pédicure,
Ou quelqu'autre chose dans l'art !

☆

J'aimais... — Oh, ça n'est plus de vente !
Même il faut payer : dans le tas,
Pioche la femme ! — Mon amante
M'avait dit : « Je n'oublîrai pas... »

... J'avais une amante là-bas
Et son ombre pâle me hante
Parmi des senteurs de lilas...
Peut-être Elle pleure... — Eh bien : chante,

Pour toi tout seul, ta nostalgie,
Tes nuits blanches sans bougie...
Tristes vers, tristes au matin !...

Mais ici : fouette-toi d'orgie !
Charge ta paupière rougie,
Et sors ton grand air de catin !

★

C'est la bohème, enfant : Renie
Ta lande et ton clocher à jour,
Les mornes de ta colonie
Et les *bamboulas* au tambour.

Chanson usée et bien finie,
Ta jeunesse... Eh, c'est bon un jour !...
Tiens : — C'est toujours neuf — calomnie
Tes pauvres amours... et l'amour.

Évohé ! ta coupe est remplie !
Jette le vin, garde la lie...
Comme ça. — Nul n'a vu le tour.

Et qu'un jour le monsieur candide
De toi dise — Infect ! Ah splendide ! —
... Ou ne dise rien. — C'est plus court.

☆

Évohé! fouaille la veine;
Évohé! misère : Éblouir!
En fille de joie, à la peine
Tombe, avec ce mot-là. — Jouir!

Rôde en la coulisse malsaine
Où vont les fruits mal secs moisir,
Moisir pour un quart-d'heure en scène...
— *Voir les planches, et puis mourir!*

Va : tréteaux, lupanars, églises,
Cour des miracles, cour d'assises :
— Quarts-d'heure d'immortalité!

Tu parais! c'est l'apothéose!!!...
Et l'on te jette quelque chose :
— Fleur en papier, ou saleté. —

☆

Donc, *la tramontane* est montée :
Tu croiras que c'est arrivé!
Cinq-cent-millième Prométhée,
Au roc de carton peint rivé.

Hélas : quel bon oiseau de proie,
Quel vautour, quel *Monsieur Vautour*
Viendra mordre à ton petit foie
Gras, truffé?... pour quoi — Pour le four!...

Four banal!... — Adieu la curée !—
Ravalant ta rate rentrée,
Va, comme le pélican blanc,

En écorchant le chant du cygne,
Bec-jaune, te percer le flanc!...
Devant un pêcheur à la ligne.

★

Tu ris. — Bien! — Fais de l'amertume.
Prends le pli, Méphisto blagueur.
De l'absinthe! et ta lèvre écume...
Dis que cela vient de ton cœur.

Fais de toi ton œuvre posthume.
Châtre l'amour... l'amour — longueur!
Ton poumon cicatrisé hume
Des miasmes de gloire, ô vainqueur!

Assez, n'est-ce pas? va-t'en!
                                    Laisse
Ta bourse — dernière maîtresse —
Ton revolver — dernier ami...

Drôle de pistolet fini!
... Ou reste, et bois ton fond de vie,
Sur une nappe desservie...

ÉPITAPHE

Sauf les amoureux commençan
ou finis qui veulent commencer pa
la fin il y a tant de choses qu
finissent par le commencement qu
le commencement commence à fin
par être la fin la fin en sera que l
amoureux et autres finiront po
commencer à recommencer par
commencement qui aura fini po
n'être que la fin retournée ce qu
commencera par être égal à l'éte
nité qui n'a ni fin ni commenceme
et finira par être aussi finaleme
égal à la rotation de la terre o
l'on aura fini par ne distinguer plu
où commence la fin d'où finit
commencement ce qui est toute f
de tout commencement égale à to
commencement de toute fin ce q
est le commencement final de l'i
fini défini par l'indéfini — Égo
une épitaphe égale une préface
réciproquement.

Sagesse des nations.

Il se tua d'ardeur, ou mourut de paresse.
S'il vit, c'est par oubli; voici ce qu'il se laisse :

— Son seul regret fut de n'être pas sa maîtresse. —

Il ne naquit par aucun bout,
Fut toujours poussé vent-de-bout,
Et fut un arlequin-ragoût,
Mélange adultère de tout.

Du *je-ne-sais-quoi.* — Mais ne sachant où;
De l'or, — mais avec pas le sou;
Des nerfs, — sans nerf. Vigueur sans force;
De l'élan, — avec une entorse;
De l'âme, — et pas de violon;
De l'amour, — mais pire étalon.
— Trop de noms pour avoir un nom. —

Coureur d'idéal, — sans idée;
Rime riche, — et jamais rimée;
Sans avoir été, — revenu;
Se retrouvant partout perdu.

Poète, en dépit de ses vers;
Artiste sans art, — à l'envers,
Philosophe, — à tort à travers.

Un drôle sérieux, — pas drôle.
Acteur, il ne sut pas son rôle;
Peintre : il jouait de la musette;
Et musicien : de la palette.

Une tête ! — mais pas de tête;
Trop fou pour savoir être bête;
Prenant pour un trait le mot *très.*
— Ses vers faux furent ses seuls vrais.

Oiseau rare — et de pacotille;
Très mâle... et quelquefois très *fille ;*
Capable de tout, — bon à rien;
Gâchant bien le mal, mal le bien.
Prodigue comme était l'enfant
Du Testament, — sans testament.
Brave, et souvent, par peur du plat,
Mettant ses deux pieds dans le plat.

Coloriste enragé, — mais blême;
Incompris... — surtout de lui-même;
Il pleura, chanta juste faux;
— Et fut un défaut sans défauts.

Ne fut *quelqu'un*, ni quelque chose
Son naturel était la *pose*.
Pas poseur, — posant pour *l'unique*;
Trop naïf, étant trop cynique;
Ne croyant à rien, croyant tout.
— Son goût était dans le dégoût.

Trop cru, — parce qu'il fut trop cuit,
Ressemblant à rien moins qu'à lui,
Il s'amusa de son ennui,
Jusqu'à s'en réveiller la nuit.
Flâneur au large, — à la dérive,
Épave qui jamais n'arrive...

Trop *Soi* pour se pouvoir souffrir,
L'esprit à sec et la tête ivre,
Fini, mais ne sachant finir,
Il mourut en s'attendant vivre
Et vécut, s'attendant mourir.

Ci-gît, — cœur sans cœur, mal planté,
Trop réussi, — comme *raté*.

Les Amours jaunes

À L'ÉTERNEL MADAME

annequin idéal, tête-de-turc du leurre,
ernel Féminin!... repasse tes fichus;
viens sur mes genoux, quand je marquerai l'heure,
e montrer comme on fait chez vous, anges déchus.

is pire, et fais pour nous la joie à la malheure,
affe d'un pied léger dans les sentiers ardus.
mne-toi, pure idole! et ris! et chante! et pleure,
nante! Et meurs d'amour!... à nos moments perdus.

le de marbre! en rut! sois folâtre!... et pensive.
îtresse, chair de moi! fais-toi vierge et lascive...
roce, sainte, et bête, en me cherchant un cœur...

s femelle de l'homme, et sers de Muse, ô femme,
and le poète brame en *Ame, en Lame, en Flamme*!
is — quand il ronflera — viens baiser ton Vainqueur!

FÉMININ SINGULIER

Éternel Féminin de l'éternel Jocrisse!
Fais-nous sauter, pantins nous payons les décors!
Nous éclairons la rampe... Et toi, dans la coulisse,
Tu peux faire au pompier le pur don de ton corps.

Fais claquer sur nos dos le fouet de ton caprice,
Couronne tes genoux!... et nos têtes dix-cors;
Ris! montre tes dents! mais... nous avons la police,
Et quelque chose en nous d'eunuque et de recors.

... Ah tu ne comprends pas?... — Moi non plus — Fais
                                         [la belle
Tourne : nous sommes soûls! Et plats : Fais la cruelle
Cravache ton pacha, ton humble serviteur!...

Après, sache tomber! — mais tomber avec grâce —
Sur notre sable fin ne laisse pas de trace!...
— C'est le métier de femme et de gladiateur. —

BOHÈME DE CHIC

Ne m'offrez pas un trône!
A moi tout seul je fris,
Drôle, en ma sauce jaune
De *chic* et de mépris.

Que les bottes vernies
Pleuvent du paradis,
Avec des parapluies...
Moi, va-nu-pieds, j'en ris !

— Plate époque râpée,
Où chacun a du bien ;
Où, cuistre sans épée,
Le vaurien ne vaut rien !

Papa, — pou, mais honnête, —
M'a laissé quelques sous,
Dont j'ai fait quelque dette,
Pour me payer des poux !

Son habit, mis en perce,
M'a fait de beaux haillons
Que le soleil traverse ;
Mes trous sont des rayons.

Dans mon chapeau, la lune
Brille à travers les trous,
Bête et vïerge comme une
Pièce de cent sous !

— Gentilhomme !... à trois queues :
Mon nom mal ramassé
Se perd à bien des lieues
Au diable du passé !

Mon blason, — pas bégueule,
Est, comme moi, faquin :
— *Nous bandons à la gueule,*
Fond troué d'arlequin. —

Je pose aux devantures
Où je lis : — DÉFENDU
DE POSER DES ORDURES —
Roide comme un pendu!

Et me plante sans gêne
Dans le plat du hasard,
Comme un couteau sans gaine
Dans un plat d'épinard.

Je lève haut la cuisse
Au bornes que je voi :
Potence, pavé, suisse,
Fille, priape ou roi!

Quand, sans tambour ni flûte,
Un servile estafier
Au violon me culbute,
Je me sens libre et fier!...

Et je laisse la vie
Pleuvoir sans me mouiller,
En attendant l'envie
De me faire empailler.

— Je dors sous ma calotte,
La calotte des cieux;
Et l'étoile pâlotte
Clignote entre mes yeux.

Ma Muse est grise ou blonde...
Je l'aime et ne sais pas;
Elle est à tout le monde...
Mais — moi seul — je la bats!

A moi ma Chair-de-poule !
A toi ! Suis-je pas beau,
Quand mon baiser te roule
A cru dans mon manteau !

Je ris comme une folle
Et sens mal aux cheveux,
Quant ta chair fraîche colle
Contre mon cuir lépreux !

Jérusalem. — Octobre.

GENTE DAME

Il n'est plus, ô ma Dame,
D'amour en cape, en lame,
  Que Vous !...
De passion sans obstacle,
Mystère à grand spectacle,
  Que nous !...

Depuis les *Tour de Nesle*
Et les *Château de Presle*,
  Temps frais,
Où l'on couchait en Seine
Les galants, pour leur peine...
  — Après. —

Quand vous êtes *Frisette*,
Il n'est plus de grisette
  Que Toi !...
Ni de rapin farouche,
Pur Rembrandt sans retouche,
  Que moi !

Qu'il attende, Marquise,
Au grand mur de l'église
      Flanqué,
Ton bon coupé vert-sombre,
Comme un bravo dans l'ombre;
      Masqué.

— A nous! — J'arme en croisière
Mon fiacre-corsaire,
      Au vent,
Bordant, comme une voile,
Le store qui nous voile :
      — Avant!...

— Quartier-dolent — tourelle
Tout au haut de l'échelle...
      Quel pas!
— Au sixième — Eh! madame,
C'est tomber, sur mon âme!
      Bien bas!

Au grenier poétique,
Où gîte le classique
      Printemps,
Viens courre, aventurière,
Ce lapin de gouttière :
      Vingt-ans!

Ange, viens pour ton hère
Jouer à la misère
      Des dieux!
Pauvre diable à ficelles,
Lui, joue avec tes ailes,
      Aux cieux!

Viens, Béatrix du Dante,
Mets dans ta main charmante

Mon front...
Ou passe, en bonne fille,
Fière au bras de ton drille,
Le pont.

Demain, ô mâle amante,
Reviens-moi Bradamante!
Muguet!
Eschôlier en fortune,
Narguant, de vers la brune,
Le guet!

I SONNET

AVEC LA MANIÈRE DE S'EN SERVIR

Réglons notre papier et formons bien nos lettres :

‍ers filés à la main et d'un pied uniforme,
‍mboîtant bien le pas, par quatre en peloton;
‍u'en marquant la césure, un des quatre s'endorme...
‍a peut dormir debout comme soldats de plomb.

‍ur le *railway* du Pinde est la ligne, la forme;
‍ux fils du télégraphe : — on en suit quatre, en long;
‍ chaque pieu, la rime — exemple : *chloroforme.*
‍ — Chaque vers est un fil, et la rime un jalon.

‍ — Télégramme sacré — 20 mots. — Vite à mon aide...
‍onnet — c'est un sonnet —) ô Muse d'Archimède!
‍ — La preuve d'un sonnet est par l'addition :

— Je pose 4 et 4 = 8! Alors je procède,
En posant 3 et 3! — Tenons Pégase raide :
« Ô lyre! Ô délire! Ô... » — Sonnet — Attention!

Pic de la Maladetta. — Août.

SONNET À SIR BOB

Chien de femme légère, braque anglais pur sang

Beau chien, quand je te vois caresser ta maîtresse,
Je grogne malgré moi — pourquoi? — Tu n'en sais rien.
— Ah, c'est que moi — vois-tu — jamais je ne caresse,
Je n'ai pas de maîtresse, et... ne suis pas beau chien.

— *Bob! Bob!* — Oh! le fier nom à hurler d'allégresse!
Si je m'appelais *Bob*... Elle dit Bob si bien!...
Mais moi je ne suis pas *pur sang*. — Par maladresse,
On m'a fait *braque* aussi... mâtiné de chrétien.

— Ô Bob! nous changerons, à la métempsycose :
Prends mon sonnet, moi ta sonnette à faveur rose;
Toi ma peau, moi ton poil — avec puces ou non...

Et je serai *sir Bob* — Son seul amour fidèle!
Je mordrai les roquets, elle me mordrait, Elle!...
Et j'aurai le collier portant Son petit nom.

British channel. — 15 may

STEAM-BOAT

À une passagère.

En fumée elle est donc chassée
L'éternité, la traversée
Qui fit de Vous ma sœur d'un jour,
    Ma sœur d'amour!...

Là-bas : cette mer incolore
Où ce qui fut Toi flotte encore...
Ici : la terre, ton écueil,
    Tertre de deuil!

On t'espère là... Va légère!
Qui te bercera, Passagère?...
Ô passagère [de] mon cœur,
    Ton remorqueur!...

Quel ménélas, sur son rivage,
Fait le pied?... — Va, j'ai ton sillage...
J'ai, — quand il est là voir venir, —
    Ton souvenir!

Il n'aura pas, lui, ma Peureuse,
Les sauts de ta gorge houleuse!...
Tes sourcils salés de poudrain
    Pendant un grain!

Il ne t'aura pas : effrontée!
Par tes cheveux au vent fouettée!...
Ni, durant les longs quarts de nuit,
    Ton doux ennui...

Ni ma poésie où : — *Posée,*
Tu seras la mouette blessée,
Et moi le flot qu'elle rasa...,
     Et cœtera.

— Le large, bête sans limite,
Me paraîtra bien grand, Petite,
Sans Toi!... Rien n'est plus l'horizon
     Qu'une cloison.

Qu'elle va me sembler étroite!
Tout seul, la boîte à deux!... la boîte
Où nous n'avions qu'un oreiller
     Pour sommeiller.

Déjà le soleil se fait sombre
Qui ne balance plus ton ombre,
Et la houle a fait un grand pli...
     — Comme l'oubli! —

Ainsi déchantait sa fortune,
En vigie, au sec, dans la hune,
Par un soir frais, vers le matin,
     Un pilotin.

10′ long. O.
40′ lat. N.

PUDENTIANE

Attouchez, sans toucher. On est dévotieuse,
     Ni ne retient à son escient.
Mais On pâme d'horreur d'être : *luxurieuse*
     De corps et de consentement!...

Et de chair... de cette œuvre On est fort curieuse,
Sauf le vendredi — seulement :
Le confesseur est maigre... et l'extase pieuse
En fait : *carême entièrement.*

...Une autre se donne. — Ici l'On se damne —
C'est un tabernacle — ouvert — qu'on profane.
Bénitier où le serpent est caché !

Que l'Amour, ailleurs, comme un coq se chante...
CI-GÎT ! La *pudeur-d'*-*attentat* le hante...
C'est la Pomme (cuite) en fleur de péché.

Rome. — 40 ans. — 15 août.

APRÈS LA PLUIE

J'aime la petite pluie
Qui s'essuie
D'un torchon de bleu troué !
J'aime l'amour et la brise,
Quand ça frise...
Et pas quand c'est secoué.

— Comme un parapluie en flèches,
Tu te sèches,
Ô grand soleil ! grand ouvert...
À bientôt l'ombrelle verte
Grand'ouverte !
Du printemps — été d'hiver. —

La passion c'est l'averse
      Qui traverse !
Mais la femme n'est qu'un grain :
Grain de beauté, de folie
      Ou de pluie...
Grain d'orage — ou de serein. —

Dans un clair rayon de boue,
      Fait la roue,
La roue à grand appareil,
— Plume et queue — une Cocotte
      Qui barbote ;
Vrai déjeuner de soleil !

— « Anne ! ou qui que tu sois, chère...
      Ou pas chère,
Dont on fait, à l'œil, les yeux...
Hum... Zoé ! Nadjejda ! Jane !
      Vois : je flâne,
Doublé d'or comme les cieux ! »

« *English spoken?* — Espagnole ?...
      Batignolle ?...
Arbore le pavillon
Qui couvre ta marchandise,
      Ô marquise
D'Amaëgui !... Frétillon !...

« Nom de singe ou nom d'Archange ?
      Ou mélange ?...
Petit nom à huit ressorts ?
Nom qui ronfle, ou nom qui chante ?
      Nom d'amante ?...
Ou nom à coucher dehors ?...

« Veux-tu, d'une amour fidelle,
   Éternelle !
Nous adorer pour ce soir ?...
Pour tes deux petites bottes
   Que tu crottes,
Prends mon cœur et le trottoir !

« N'es-tu pas doña Sabine ?
   Carabine ?...
Dis : veux-tu le paradis
De l'Odéon ? — traversée
   Insensée !...
On emporte des radis. » —

C'est alors que se dégaine
   La rengaine :
« Vous vous trompez... Quel émoi !...
Laissez-moi... je suis honnête...
   — Pas si bête !
— Pour qui me prends-tu ? — Pour moi !...

« ...Prendrais-tu pas quelque chose
   Qu'on arrose
Avec n'importe quoi... du
Jus de perles dans des coupes
   D'or ?... Tu coupes !...
Mais moi ? Mina, me prends-tu ?

— Pourquoi pas ? ça va sans dire !
   — Ô sourire !...
Moi, par-dessus le marché !...
Hermosa, tu m'as l'air franche
   De la hanche !
Un cuistre en serait fâché !

— Mais je me nomme Aloïse...
        — Héloïse!
Veux-tu, pour l'amour de l'art,
— Abeilard avant la lettre —
        Me permettre
D'être un peu ton Abeilard? »

. . . .
. . . .

Et, comme un grain blanc qui crève,
        Le doux rêve
S'est couché là, sans point noir...
Donne à ma lèvre apaisée,
        « La rosée
D'un baiser-levant — Bonsoir —

« C'est le chant de l'alouette,
        Juliette!
Et c'est le chant du dindon...
Je te fais, comme l'aurore
        Qui te dore,
Un rond d'or sur l'édredon. »

À UNE ROSE

Rose, rose-d'amour vannée,
        Jamais fanée,
Le rouge-fin est ta couleur,
        Ô fausse-fleur!

Feuille où pondent les journalistes
        Un fait-divers,

Papier-Joseph, croquis d'artistes :
— Chiffres ou vers —

Cœur de parfum, montant arôme
        Qui nous embaume...
Et ferait même avec succès,
        Après décès;

Grise l'amour de ton haleine,
        Vapeur malsaine,
Vent de pastille-du-sérail,
        Hanté par l'ail!

Ton épingle, épine-postiche,
        Chaque nuit fiche
Le hanneton-d'or, ton amant...
Sensitive ouverte, arrosée
De fausses-perles de rosée,
        En diamant!

Chaque jour palpite à la colle
        De la corolle
Un papillon-coquelicot,
        Pur calicot.

Rose-thé!... — Dans le grog, peut-être! —
        Tu dois renaître
Jaune, sous le fard du tampon,
        Rose-pompon!

Vénus-Coton, née en pelote,
        Un soir-matin,
Parmi l'écume... que culotte
        Le clan rapin!

Rose-mousseuse, sur toi pousse
Souvent la mousse
De l'Aï... Du BOCK plus souvent
— À 3o C^{ent}.

— Un coup-de-soleil de la rampe !
Qui te retrempe ;
Un coup de pouce à ton grand air
Sur fil-de-fer !...

Va, gommeuse et gommée, ô rose
De couperose,
Fleurir les faux-cols et les cœurs,
Gilets vainqueurs !

À LA MÉMOIRE DE ZULMA

VIERGE-FOLLE HORS BARRIÈRE

ET D'UN LOUIS

Bougival, 8 mai.

Elle était riche de vingt ans,
Moi j'étais jeune de vingt francs,
Et nous fîmes bourse commune,
Placée, à fonds perdu, dans une
Infidèle nuit de printemps...

La lune a fait un trou dedans,
Rond comme un écu de cinq francs,
Par où passa notre fortune :
Vingt ans ! vingt francs !... et puis la lune !

— En monnaie — hélas — les vingt francs !
En monnaie aussi les vingt ans !
Toujours de trous en trous de lune,
Et de bourse en bourse commune...
— C'est à peu près même fortune !
. . . .

— Je la trouvai — bien des printemps,
Bien des vingt ans, bien des vingt francs,
Bien des trous et bien de la lune
Après — Toujours vierge et vingt ans,
Et... colonelle à la Commune !

. . . .

— Puis après : la chasse aux passants,
Aux vingt sols, et plus aux vingt francs...
Puis après : la fosse commune,
Nuit gratuite sans trou de lune.

Saint-Cloud. — Novembre.

BONNE FORTUNE
ET
FORTUNE

Odor della feminità.

Moi, je fais mon trottoir, quand la nature est belle,
Pour la passante qui, d'un petit air vainqueur,
Voudra bien crocheter, du bout de son ombrelle,
Un clin de ma prunelle ou la peau de mon cœur...

Et je me crois content — pas trop ! — mais il faut vivre
Pour promener un peu sa faim, le gueux s'enivre...

Un beau jour — quel métier ! — je faisais, comme ça,
Ma croisière. — Métier !... — Enfin, Elle passa
— Elle qui ? — La Passante ! Elle, avec son ombrelle !
Vrai valet de bourreau, je la frôlai... — mais Elle

Me regarda tout bas, souriant en dessous,
Et... me tendit sa main, et...

                               m'a donné deux sous.

                               Rue des Martyrs.

À UNE CAMARADE

Que me veux-tu donc, femme trois fois fille ?...
Moi qui te croyais un si bon enfant !
— De l'amour ?... — Allons : cherche, apporte, pille !
M'aimer aussi, toi !... moi qui t'aimais tant.

Oh ! je t'aimais comme... un lézard qui pèle
Aime le rayon qui cuit son sommeil...
L'Amour entre nous vient battre de l'aile :
— Eh ! qu'il s'ôte de devant mon soleil !

Mon amour, à moi, n'aime pas qu'on l'aime ;
Mendiant, il a peur d'être écouté...
C'est un lazzarone enfin, un bohème,
Déjeunant de jeûne et de liberté.

— Curiosité, bibelot, bricole ?...
C'est possible : il est rare — et c'est son bien —

Mais un bibelot cassé se recolle ;
Et lui, décollé, ne vaudra plus rien !...

Va, n'enfonçons pas la porte entr'ouverte
Sur un paradis déjà trop rendu !
Et gardons à la pomme, jadis verte,
Sa peau, sous son fard de fruit défendu.

Que nous sommes-nous donc fait l'un à l'autre ?...
— Rien... — Peut-être alors que c'est pour cela ;
— Quel a commencé ? — Pas moi, bon apôtre !
Après, quel dira : c'est donc tout — voilà !

— Tous les deux, sans doute... — Et toi, sois bien sûre
Que c'est encor moi le plus attrapé :
Car si, par erreur, ou par aventure,
Tu ne me trompais... je serais trompé !

Appelons cela : *l'amitié calmée ;*
Puisque l'amour veut mettre son holà.
N'y croyons pas trop, chère mal-aimée...
— C'est toujours trop vrai ces mensonges-là ! —

Nous pourrons, au moins, ne pas nous maudire
— Si ça t'est égal — le quart-d'heure après.
— Si nous en mourons — ce sera de rire...
— Moi qui l'aimais tant ton rire si frais !

UN JEUNE QUI S'EN VA

Morire.

Oh le printemps ! — Je voudrais paître !...
C'est drôle, est-ce pas : Les mourants

Font toujours ouvrir leur fenêtre,
Jaloux de leur part de printemps !

Oh le printemps ! Je veux écrire !
Donne-moi mon bout de crayon
— Mon bout de crayon, c'est ma lyre —
Et — là — je me sens un rayon.

Vite !... j'ai vu, dans mon délire,
Venir me manger dans la main
La Gloire qui voulait me lire !
— La gloire n'attend pas demain. —

Sur ton bras, soutiens ton poète,
Toi, sa Muse, quand il chantait,
Son Sourire quand il mourait,
Et sa Fête... quand c'était fête !

Sultane, apporte un peu ma pipe
Turque, incrustée en faux saphir,
Celle qui *va bien à mon type*...
Et ris ! — C'est fini de mourir ;

Et viens sur mon lit de malade ;
Empêche la mort d'y toucher,
D'emporter cet enfant maussade
Qui ne veut pas s'aller coucher.

Ne pleure donc plus, — je suis bête —
Vois : mon drap n'est pas un linceul...
Je chantais cela pour moi seul...
Le vide chante dans ma tête...

Retourne contre la muraille.
— Là — l'esquisse — un portrait de toi —
Malgré lui mon œil soûl travaille
Sur la toile... C'était de moi.

J'entends — bourdon de la fièvre —
Un chant de berceau me monter :
« *J'entends le renard, le lièvre,*
« *Le lièvre, le loup chanter.* »

...Va! nous aurons une chambrette
Bien fraîche, à papier bleu rayé;
Avec un vrai bon lit honnête
À nous, à rideaux... et payé!

Et nous irons dans la prairie
Pêcher à la ligne tous deux,
Ou bien *mourir pour la patrie!*...
— Tu sais, je fais ce que tu veux.

...Et nous aurons des robes neuves,
Nous serons riches à bâiller
Quand j'aurai revu *mes épreuves!*
— Pour vivre, il faut bien travailler...

— Non! mourir...
             La vie était belle
Avec toi! mais rien ne va plus...
À moi le pompon d'immortelle
Des grands poètes que j'ai lus!

À moi, *Myosotis! Feuille morte*
De *Jeune malade à pas lent!*
Souvenir de soi... qu'on emporte
En croyant le laisser — souvent!

— Décès : Rolla : — l'Académie —
Murger, Baudelaire : — hôpital, —
Lamartine : — en perdant la vie
De sa fille, en strophes pas mal...

Doux bedeau, pleureuse en lévite,
Harmonieux tronc des *moissonnés*,
Inventeur de la *larme écrite*,
Lacrymatoire d'abonnés!...

Moreau — j'oubliais — Hégésippe,
Créateur de l'art-hôpital...
Depuis, j'ai la phtisie en grippe;
Ce n'est plus même original.

— Escousse encor : mort en extase
De lui; mort phtisique d'orgueil.
— Gilbert : phtisie en paraphrase
Rentrée, en se pleurant *à l'œil.*

— Un autre incompris : Lacenaire,
Faisant des vers en amateur
Dans le goût anti-poitrinaire,
Avec Sanson pour éditeur.

— Lord Byron, gentleman-vampire,
Hystérique du ténébreux;
Anglais sec, cassé par son rire,
Son noble rire de lépreux.

— Hugo : l'Homme apocalyptique,
L'Homme-Ceci-tûra-cela,
Meurt, gardenational épique;
Il n'en reste qu'un — celui-là! —

... Puis un tas d'amants de la lune,
Guère plus morts qu'ils n'ont vécu,
Et changeant de fosse commune
Sans un discours, sans un écu!

J'en ai lus mourir!... Et ce cygne
Sous le couteau du cuisinier :

— Chénier — ... Je me sens — mauvais signe! —
De la jalousie. — Ô métier!

Métier! Métier de mourir...
Assez, j'ai fini mon étude.
Métier : se rimer finir!...
C'est une affaire d'habitude.

Mais non, la poésie est : vivre,
Paresser encore, et souffrir
Pour toi, maîtresse! et pour mon livre;
Il est là qui dort
              — Non : mourir!

. . . .

Sentir sur ma lèvre appauvrie
Ton dernier baiser se gercer,
La mort dans tes bras me bercer...
Me déshabiller de la vie!...

                        Charenton. — Avril.

INSOMNIE

Insomnie, impalpable Bête!
N'as-tu d'amour que dans la tête?
Pour venir te pâmer à voir,
Sous ton mauvais œil, l'homme mordre
Ses draps, et dans l'ennui se tordre!...
Sous ton œil de diamant noir.

Dis : pourquoi, durant la nuit blanche,
Pluvieuse comme un dimanche,
Venir nous lécher comme un chien :
Espérance ou Regret qui veille,
À notre palpitante oreille
Parler bas... et ne dire rien?

Pourquoi, sur notre gorge aride,
Toujours pencher ta coupe vide
Et nous laisser le cou tendu,
Tantales, soiffeurs de chimère :
— Philtre amoureux ou lie amère
Fraîche rosée ou plomb fondu! —

Insomnie, es-tu donc pas belle?...
Eh pourquoi, lubrique pucelle,
Nous étreindre entre tes genoux?
Pourquoi râler sur notre bouche,
Pourquoi défaire notre couche,
Et... ne pas coucher avec nous?

Pourquoi, Belle-de-nuit impure,
Ce masque noir sur ta figure?...
— Pour intriguer les songes d'or?...
N'es-tu pas l'amour dans l'espace,
Souffle de Messaline lasse,
Mais pas rassasiée encor!

Insomnie, es-tu l'Hystérie...
Es-tu l'orgue de barbarie
Qui moud l'*Hosannah* des Élus?...
— Ou n'es-tu pas l'éternel plectre,
Sur les nerfs des damnés-de-lettre,
Raclant leurs vers — qu'eux seuls ont lus.

Insomnie, es-tu l'âne en peine
De Buridan — ou le phalène

De l'enfer? — Ton baiser de feu
Laisse un goût froidi de fer rouge...
Oh! viens te poser dans mon bouge!...
Nous dormirons ensemble un peu.

LA PIPE AU POÈTE

Je suis la Pipe d'un poète,
Sa nourrice, et : j'endors *sa Bête*.

Quand ses chimères éborgnées
Viennent se heurter à son front,
Je fume... Et lui, dans son plafond,
Ne peut plus voir les araignées.

...Je lui fais un ciel, des nuages,
La mer, le désert, des mirages;
— Il laisse errer là son œil mort...

Et, quand lourde devient la nue,
Il croit voir une ombre connue,
— Et je sens mon tuyau qu'il mord...

— Un autre tourbillon délie
Son âme, son carcan, sa vie!
... Et je me sens m'éteindre. — Il dort —

. . . .

— Dors encor : la *Bête* est calmée,
File ton rêve jusqu'au bout...
Mon Pauvre!... la fumée est tout.
— S'il est vrai que tout est fumée...

Paris. — Janvier.

LE CRAPAUD

Un chant dans une nuit sans air...
La lune plaque en métal clair
Les découpures du vert sombre.

... Un chant; comme un écho, tout vif
Enterré, là, sous le massif...
— Ça se tait : Viens, c'est là, dans l'ombre...

— Un crapaud! — Pourquoi cette peur,
Près de moi, ton soldat fidèle!
Vois-le, poète tondu, sans aile,
Rossignol de la boue... — Horreur! —

... Il chante. — Horreur!! — Horreur pourquoi?
Vois-tu pas son œil de lumière...
Non : il s'en va, froid, sous sa pierre.
. . . .
Bonsoir — ce crapaud-là c'est moi.

Ce soir, 20 juillet.

FEMME

La Bête féroce.

Lui — cet être faussé, mal aimé, mal souffert,
Mal haï — mauvais livre... et pire : il m'intéresse. —
S'il est vide après tout... Oh mon dieu, je le laisse,
    Comme un roman pauvre — entr'ouvert.

Cet homme est laid... — Et moi, ne suis-je donc pas belle,
    Et belle encore pour nous deux ! —
En suis-je donc enfin aux rêves de pucelle?...
    — Je suis reine : Qu'il soit lépreux !

Où vais-je — femme ! — Après... suis-je donc pas légère
    Pour me relever d'un faux pas !
Est-ce donc Lui que j'aime ! — Eh non ! c'est son mys-
    Celui que peut-être Il n'a pas.   [tère...

Plus Il m'évite, et plus et plus Il me poursuit...
    Nous verrons ce dédain suprême.
Il est rare à croquer, celui-là qui me fuit !...
    Il me fuit — Eh bien non !... Pas même.

... Aurais-je ri pourtant ! si, comme un galant homme,
    Il avait allumé ses feux...
Comme Ève — femme aussi — qui n'aimait pas la
    Je ne l'aime pas — et j'en veux ! — [Pomme,

C'est innocent. — Et lui?... Si l'arme était chargée...
    — Et moi, j'aime les vilains jeux !

Et... l'on sait amuser, avec une dragée
        Haute, un animal ombrageux.

De quel droit ce regard, ce mauvais œil qui touche :
        Monsieur poserait le fatal?
Je suis myope, il est vrai... Peut-être qu'il est louche
        Je l'ai vu si peu — mais si mal. —

... Et si je le laissais se draper en quenouille,
        Seul dans sa honteuse fierté!...
   — Non. Je sens me ronger, comme ronge la rouille
        Mon orgueil malade, irrité.

Allons donc! c'est écrit — n'est-ce pas — dans ma tête
        En pattes-de-mouche d'enfer;
Ecrit, sur cette page où — là — ma main s'arrête.
        — Main de femme et plume de fer. —

Oui! — Baiser de Judas — Lui cracher à la bouche
        Cet *amour!* — Il l'a mérité —
Lui dont la triste image est debout sur ma couche,
        Implacable de volupté.

Oh oui : coller ma langue à l'inerte sourire
        Qu'il porte là comme un faux pli!
Songe creux et malsain, repoussant... qui m'attire
    . . . .
        — Une nuit blanche... un jour sali ...

                              ***

DUEL AUX CAMÉLIAS

J'ai vu le soleil dur contre les touffes
Ferrailler. — J'ai vu deux fers soleiller,
Deux fers qui faisaient des parades bouffes;
Des merles en noir regardaient briller.

Un monsieur en ligne arrangeait sa manche;
Blanc, il me semblait un gros camélia;
Une autre fleur rose était sur la branche,
Rose comme... Et puis un fleuret plia.

— Je vois rouge... Ah oui! c'est juste : on s'égorge —
. Un camélia blanc — là — comme Sa gorge...
Un camélia jaune, — ici — tout mâché...

Amour mort, tombé de ma boutonnière.
— À moi, plaie ouverte et fleur printanière!
Camélia vivant, de sang panaché!

Veneris Dies 13 ***

FLEUR D'ART

Oui — Quel art jaloux dans Ta fine histoire!
Quels bibelots chers! — Un bout de sonnet,
Un cœur gravé dans ta manière noire,
Des traits de canif à coups de stylet. —

Tout fier mon cœur porte à la boutonnière
Que tu lui taillas, un petit bouquet
D'immortelle rouge — Encor ta manière —
C'est du sang en fleur. Souvenir coquet.

Allons, pas de pleurs à notre mémoire !
— C'est la mâle-mort de l'amour ici —
Foin du myosotis, vieux sachet d'armoire !

Double femme, va !... Qu'un âne te braie !
Si tu n'étais fausse, eh serais-tu vraie ?...
L'amour est un duel : — Bien touché ! Merci.

***

PAUVRE GARÇON

La Bête féroce

Lui qui sifflait si haut, son petit air de tête,
Était plat près de moi ; je voyais qu'il cherchait...
Et ne trouvait pas, et... j'aimais le sentir bête,
Ce héros qui n'a pas su trouver qu'il m'aimait.

J'ai fait des ricochets sur son cœur en tempête.
Il regardait cela... Vraiment, cela l'usait ?...
Quel instrument rétif à jouer, qu'un poëte !...
J'en ai joué. Vraiment — moi — cela m'amusait.

Est-il mort ?... Ah — c'était, du reste, un garçon drôle
Aurait-il donc trop pris au sérieux son rôle,
Sans me le dire... au moins. — Car il est mort, de quoi ?.

Se serait-il laissé fluer de poésie...
Serait-il mort *de chic*, de boire, ou de phtisie,
Ou, peut-être, après tout : de rien...

ou bien de Moi.

***

DÉCLIN

Comme il était bien, Lui, ce Jeune plein de sève !
Âpre à la vie *Ô Gué !*... et si doux en son rêve.
Comme il portait sa tête ou la couchait gaîment !
Hume-vent à l'amour !... qu'il passait tristement.

Eh comme il était Rien !... — Aujourd'hui, sans rancune
Il a vu lui sourire, au retour, la Fortune ;
Lui ne sourira plus que d'autrefois ; il sait
Combien tout cela coûte et comment ça se fait.

Son cœur a pris du ventre et dit bonjour en prose.
Il est coté fort cher... ce Dieu c'est quelque chose ;
Il ne va plus les mains dans les poches tout nu...

Dans sa gloire qu'il porte en paletot funèbre,
Vous le reconnaîtrez fini, banal, célèbre...
Vous le reconnaîtrez, alors, cet inconnu.

BONSOIR

Et vous viendrez alors, imbécile caillette,
Taper dans ce miroir clignant qui se paillette
D'un éclis d'or, accroc de l'astre jaune, éteint.
Vous verrez un bijou dans cet éclat de tain.

Vous viendrez à cet homme, à son reflet mièvre
Sans chaleur... Mais, au jour qu'il dardait la fièvre,
Vous n'avez rien senti, vous qui — midi passé —
Tombez dans ce rayon tombant qu'il a laissé.

Lui ne vous connaît plus, Vous, l'Ombre déjà vue,
Vous qu'il avait couchée en son ciel toute nue,
Quand il était un Dieu !... Tout cela — n'en faut plus. –

Croyez — Mais lui n'a plus ce mirage qui leurre.
Pleurez — Mais il n'a plus cette corde qui pleure.
Ses chants... — C'était d'un autre ; il ne les a pas lus.

LE POÈTE CONTUMACE

Sur la côte d'ARMOR. — Un ancien vieux couvent,
Les vents se croyaient là dans un moulin-à-vent,
        Et les ânes de la contrée,
Au lierre râpé, venaient râper leurs dents
Contre un mur si troué que, pour entrer dedans,
        On n'aurait pu trouver l'entrée.

— Seul — mais toujours debout avec un rare aplomb,
Crénelé comme la mâchoire d'une vieille,
Son toit à coups-de-poing sur le coin de l'oreille,
Aux corneilles bayant, se tenait le donjon,

Fier toujours d'avoir eu, dans le temps, sa légende...
Ce n'était plus qu'un nid à gens de contrebande,
Vagabonds de nuit, amoureux buissonniers,
Chiens errants, vieux rats, fraudeurs et douaniers.

— Aujourd'hui l'hôte était de la borgne tourelle,
Un Poète sauvage, avec un plomb dans l'aile,
Et tombé là parmi les antiques hiboux
Qui l'estimaient d'en haut. — Il respectait leurs trous, —
Lui, seul hibou payant, comme son *bail* le porte :
Pour vingt-cinq écus l'an, dont : remettre une porte. —

Pour les gens du pays, il ne les voyait pas :
Seulement, en passant, eux regardaient d'en bas,
        Se montrant du nez sa fenêtre;
Le curé se doutait que c'était un lépreux;
Et le maire disait : — Moi, qu'est-ce que j'y peux,
        C'est plutôt un Anglais... un *Être.*

Les femmes avaient su — sans doute par les buses —
Qu'il *vivait en concubinage avec des Muses !*...
Un hérétique enfin... Quelque *Parisien*
De Paris ou d'ailleurs. — Hélas! on n'en sait rien. —
Il était invisible; et, comme *ses Donzelles*
Ne s'affichaient pas trop, on ne parla plus d'elles.

— Lui, c'était simplement un long flâneur, sec, pâle;
Un ermite-amateur, chassé par la rafale...
Il avait trop aimé les beaux pays malsains.
Condamné des huissiers, comme des médecins,
Il avait posé là, soûl et cherchant sa place
Pour mourir seul ou pour vivre par contumace...

Faisant, d'un à-peu-près d'artiste,
Un philosophe d'à peu près,
Râleur de soleil ou de frais,
En dehors de l'humaine piste.

Il lui restait encore un hamac, une vielle,
Un barbet qui dormait sous le nom de *Fidèle ;*
Non moins fidèle était, triste et doux comme lui,
Un autre compagnon qui s'appelait l'Ennui.

Se mourant en sommeil, il se vivait en rêve.
Son rêve était le flot qui montait sur la grève,
          Le flot qui descendait ;
Quelquefois, vaguement, il se prenait attendre...
Attendre quoi... le flot monter — le flot descendre —
          Ou l'Absente... Qui sait ?

Le sait-il bien lui-même ?... Au vent de sa guérite,
A-t-il donc oublié comme les morts vont vite,
Lui, ce viveur vécu, revenant égaré,
Cherche-t-il son follet. à lui, mal enterré ?

— Certe, Elle n'est pas loin, celle apres qui tu brames,
Ô Cerf de Saint Hubert ! Mais ton front est sans flammes.
N'apparais pas, mon vieux, triste et faux déterré...
Fais le mort si tu peux... Car Elle t'a pleuré !

— Est-ce qu'il pouvait, Lui !... n'était-il pas poète...
Immortel comme un autre ?... Et dans sa pauvre tête
Déménagée, encor il sentait que les vers
Hexamètres faisaient les cent pas de travers.

— Manque de savoir-vivre extrême — il survivait —
Et — manque de savoir-mourir — il écrivait :

« C'est un être passé de cent lunes, ma Chère,
En ton cœur poétique, à l'état légendaire.

Je rime, donc je vis... ne crains pas, c'est *à blanc*.
— Une coquille d'huître en rupture de banc! —
Oui, j'ai beau me palper : c'est moi! — Dernière faute —
En route pour les cieux — car ma niche est si haute! —
Je me suis demandé, prêt à prendre l'essor :
Tête ou pile... — Et voilà — je me demande encor... »

C'est à toi que je fis mes adieux à la vie,
À toi qui me pleuras, jusqu'à me faire envie
De rester me pleurer avec toi. Maintenant
C'est joué, je ne suis qu'un gâteux revenant,
En os et... (j'allais dire en chair). — La chose est sûre
C'est bien moi, je suis là — mais comme une rature. »

Nous étions amateurs de curiosité :
Viens voir *le Bibelot*. — Moi j'en suis dégoûté. —
Dans mes dégoûts surtout, j'ai des goûts élégants;
Tu sais : j'avais lâché la Vie avec des gants;
l'Autre n'est pas même à prendre avec des pincettes...
Je cherche au mannequin de nouvelles toilettes. »

Reviens m'aider : Tes yeux dans ces yeux-là! Ta lèvre
Sur cette lèvre!... Et, là, ne sens-tu pas ma fièvre
— Ma *fièvre de Toi?*... — Sous l'orbe est-il passé
L'arc-en-ciel au charbon par nos nuits laissé?
Et cette étoile?... — Oh! va, ne cherche plus l'étoile
          Que tu voulais voir à mon front;
          Une araignée a fait sa toile,
          Au même endroit — dans le plafond. »

Je suis un étranger. — Cela vaut mieux peut-être...
— Eh bien! non, viens encor un peu me reconnaître;
Comme au bon saint Thomas, je veux te voir la foi,
Je veux te voir toucher la plaie et dire : — Toi! —

Viens encor me finir — c'est très gai : De ta chambre,
Tu verras mes moissons — Nous sommes en décembre —

Mes grands bois de sapin, les fleurs d'or des genêts,
Mes bruyères d'Armor... — en tas sur les chenets.
Viens te gorger d'air pur — Ici j'ai de la brise
Si franche !... que le bout de ma toiture en frise.
Le soleil est si doux... — qu'il gèle tout le temps.
Le printemps...—Le printemps n'est-ce pas tes vingt ans.
On n'attend plus que toi, vois : déjà l'hirondelle
Se pose... en fer rouillé, clouée à ma tourelle. —
Et bientôt nous pourrons cueillir le champignon...
Dans mon escalier que dore... un lumignon.
Dans le mur qui verdoie existe une pervenche
Sèche. — ... Et puis nous irons à l'eau *faire* la planche
— Planches d'épave au sec — comme moi — sur ces pla-
La Mer roucoule sa *Berceuse pour naufrages ;*   [ges
Barcarolle du soir... pour les canards sauvages. »

« En *Paul et Virginie*, et virginaux — veux-tu —
Nous nous mettrons au vert du paradis perdu...
Ou *Robinson avec Vendredi* — c'est facile —
La pluie a déjà fait, de mon royaume, une île. »

« Si pourtant, près de moi, tu crains la solitude,
Nous avons des amis, sans fard — Un braconnier ;
Sans compter un caban bleu qui, par habitude,
Fait toujours les cent-pas et contient un douanier...
Plus de clercs d'huissier ! J'ai le clair de la lune,
Et des amis pierrots amoureux sans fortune. »

— « Et nos nuits !... *Belles nuits pour l'orgie à la tour !.*
Nuits à la Roméo ! — Jamais il ne fait jour. —
La Nature au réveil — réveil de déchaînée —
Secouant son drap blanc... éteint ma cheminée.
Voici mes rossignols... rossignols d'ouragans —
Gais comme des poinçons — sanglots de chats-huants
Ma girouette dérouille en haut sa tyrolienne
Et l'on entend gémir ma porte éolienne,

Comme chez saint Antoine en sa tentation...
Oh viens! joli Suppôt de la séduction! »

— « Hop! les rats du grenier dansent des farandoles!
Les ardoises du toit roulent en castagnoles!
Les Folles-du-logis...

        Non, je n'ai plus de Folles! »

... « Comme je revendrais ma dépouille à Satan
S'il me tentait avec un petit Revenant...
— Toi — Je te vois partout, mais comme un voyant
                      [blême,
Je t'adore... Et c'est pauvre : adorer ce qu'on aime!
Apparais, un poignard dans le cœur! — Ce sera,
Tu sais bien, comme dans *Inès de La Sierra*...
— On frappe... oh! c'est quelqu'un...
                 Hélas! oui, c'est un rat.

— « Je rêvasse... et toujours c'est *Toi*. Sur toute chose,
Comme un esprit follet, ton souvenir se pose :
Ma solitude — *Toi!* — Mes hiboux à l'œil d'or :
— *Toi!* — Ma girouette folle : Oh *Toi!*... — Que sais-je
                      [encor...
— *Toi :* mes volets ouvrant les bras dans la tempête...
Une lointaine voix : c'est Ta chanson! — c'est fête!...
Les rafales fouaillant Ton nom perdu — c'est bête —
C'est bête, mais c'est *Toi!* Mon cœur au grand ouvert
        Comme mes volets en pantenne,
        Bat, tout affolé sous l'haleine
        Des plus bizarres courants d'air. »

Tiens... une ombre portée, un instant, est venue
Dessiner ton profil sur la muraille nue,
Et j'ai tourné la tête... — Espoir ou souvenir —
Ma sœur Anne, à la tour, *voyez-vous pas venir?*...

— Rien ! — je vois... je vois, dans ma froide chambrette,
Mon lit capitonné de *satin de brouette*;
Et mon chien qui dort dessus — Pauvre animal —
... Et je ris... parce que ça me fait un peu mal. »

« J'ai pris, pour t'appeler, ma vielle et ma lyre.
Mon cœur fait de l'esprit — le sot — pour se leurrer...
Viens pleurer, si mes vers ont pu te faire rire;
   Viens rire, s'ils t'ont fait pleurer... »

« Ce sera drôle... Viens jouer à la misère,
D'après nature : — *Un cœur avec une chaumière.* —
... Il pleut dans mon foyer, il pleut dans mon cœur feu
Viens ! Ma chandelle est morte et je n'ai plus de feu...

     *

Sa lampe se mourait. Il ouvrit la fenêtre.
Le soleil se levait. Il regarda sa lettre,
Rit et la déchira... Les petits morceaux blancs,
Dans la brume, semblaient un vol de goélands.

       Penmarc'h — jour de Noël.

Sérénade des sérénades

SONNET DE NUIT

Ô croisée ensommeillée,
Dure à mes trente-six morts!
Vitre en diamant, éraillée
Par mes atroces accords!

Herse hérissant rouillée
Tes crocs où je pends et mords!
Oubliette verrouillée
Qui me renferme... dehors!

Pour Toi, Bourreau que j'encense,
L'amour n'est donc que vengeance?...
Ton balcon : gril à braiser?...

Ton col : collier de garotte?...
Eh bien! ouvre, Iscariote,
Ton judas pour un baiser!

GUITARE

Je sais rouler une amourette
      En cigarette,
Je sais rouler l'or et les plats!
Et les filles dans de beaux draps!

Ne crains pas de longueurs fidèles :
Pour mules mes pieds ont des ailes;
Voleur de nuit, hibou d'amour,
      M'envole au jour.

Connais-tu Psyché? — Non? — Mercure?...
Cendrillon et son aventure?
— Non? — ... Eh bien! tout cela, c'est moi :
      Nul ne me voit.

Et je te laisserais bien fraîche
Comme un petit Jésus en crèche,
Avant le rayon indiscret...
      — Je suis si laid! —

Je sais flamber en cigarette,
      Une amourette,
Chiffonner et flamber les draps,
Mettre les filles dans les plats!

RESCOUSSE

Si ma guitare
Que je répare,
Trois fois barbare :
Kriss indien,

Cric de supplice,
Bois de justice,
Boîte à malice,
Ne fait pas bien...

Si ma voix pire
Ne peut te dire
Mon doux martyre...
— Métier de chien ! —

Si mon cigare,
Viatique et phare,
Point ne t'égare ;
— Feu de brûler...

Si ma menace,
Trombe qui passe,
Manque de grâce ;
— Muet de hurler...

Si de mon âme
La mer en flamme
N'a pas de lame ;
— Cuit de geler...

Vais m'en aller !

TOIT

Tiens non! J'attendrai tranquille,
    Planté sous le toit,
Qu'il me tombe quelque tuile,
    Souvenir de Toi!

J'ai tondu l'herbe, je lèche
    La pierre, — altéré
Comme *la Colique-sèche*
    De Miserere!

Je crèverai — Dieu me damne! —
Ton tympan ou la peau d'âne
    De mon bon tambour!

Dans ton boîtier, ô Fenêtre!
Calme et pure, gît peut-être...
. . . .

Un vieux monsieur sourd!

LITANIE

Non... Mon cœur te sent là, Petite,
Qui dors pour me laisser plus vite
Passer ma nuit, si longue encor,
Sur le pavé comme un rat mort...

— Dors. La berceuse litanie
Sérénade jamais finie
Sur Ta lèvre reste poser
Comme une haleine de baiser :

— « Nénuphar du ciel! Blanche Étoile!
« Tour ivoirine! Nef sans voile!
« *Vesper, amoris Aurora !* »

Ah! je sais les répons mystiques,
Pour le cantique des cantiques
Qu'on chante... au Diable, Señora!

CHAPELET

A moi, grand chapelet! pour égrener mes plaintes,
Avec tous les AVE de Sa *Perfeccion*,
son nom et tous les noms de ses Fêtes et Saintes...
Du Mardi-gras jusqu'à la *Circoncicion* :

— *Navaja-Dolorès-y-Crucificcion !*...
— Le Christ avait au moins son éponge d'absinthe... —
Quand donc arriverai-je à ton *Ascencion !*...
— Isaac Laquedem, prête-moi ta complainte.

— *O Todas-las-Santas !* Tes vitres sont pareilles,
Secundum ordinem, à ces fonds de bouteilles
Qu'on casse à coups de trique à la *Quasimodo*...

Mais, ô *Quasimodo*, tu ne viens pas encore;
Pour casse-tête, hélas! je n'ai que ma mandore...
— *Se habla español : Paraque... raquando?*...

ELIZIR D'AMOR

Tu ne me veux pas en rêve,
Tu m'auras en cauchemar!
T'écorchant au vif, sans trêve,
— Pour moi... pour l'amour de l'art.

— Ouvre : je passerai vite,
Les nuits sont courtes, l'été...
Mais ma musique est maudite,
Maudite en l'éternité!

J'assourdirai les recluses,
Éreintant à coups de pieux,
Les Neuf et les autres Muses...
Et qui n'en iront que mieux!...

Répéterai tous mes rôles
Borgnes ·— et d'aveugle aussi...
D'ordinaire tous ces drôles
Ont assez bon *œil* ici :

— À genoux, haut Cavalier,
À pied, traînant ma rapière,
Je baise dans la poussière
Les traces de Ton soulier!

— Je viens, Pèlerin austère,
Capucin et Troubadour,
Dire mon bout de rosaire
Sur la viole d'amour.

— Bachelier de Salamanque,
Le plus simple et le dernier...
Ce fonds jamais ne me manque :
— Tout vœux! et pas un denier! —

— Retapeur de casseroles,
Sale Gitan vagabond,
Je claque des castagnoles
Et chatouille le jambon...

— Pas-de-loup, loup sur la face,
Moi chien-loup maraudeur,
J'erre en offrant de ma race :
— Pur-Don-Juan-du-Commandeur. —

Maîtresse peut me connaître,
Chien parmi les chiens perdus :
Abeilard n'est pas mon maître,
Alcibiade non plus!

VÉNERIE

Ô Vénus, dans ta Vénerie.
Limier et piqueur à la fois,
Valet-de-chiens et d'écurie,
J'ai vu l'Hallali, les Abois!...

Que Diane aussi me sourie!...
À cors, à cris, à pleine voix
Je fais le pied, je fais le bois;
Car on dit que : *bête varie*...

— Un pied de biche : Le voici,
Cordon de sonnette sur rue;
— Bois de cerf : de la porte aussi;
— Et puis un pied : un pied-de-grue!...

Ô Fauve après qui j'aboyais,
— Je suis fourbu, qu'on me relaie! —
Ô Bête! es-tu donc une laie?
. . . .
Bien moins sauvage te croyais!

VENDETTA

Tu ne veux pas de mon âme
Que je jette à tour de bras :
Chère, tu me le payeras!...
Sans rancune — je suis femme! —

Tu ne veux pas de ma peau :
Venimeux comme un jésuite,
Prends garde!... je suis ensuite
Jésuite comme un crapaud,

Et plat comme la punaise,
Compagne que j'ai sur moi,
Pure... mais, — ne te déplaise, —
Je te préférerais, Toi!

— Je suis encor, Ma très-Chère,
Serpent comme le Serpent
Froid, coulant, poisson rampant
Qui fit pécher ta grand'mère...

Et tu ne vaux pas, Pécore,
Beaucoup plus qu'elle, je croi...
Vaux-tu ma chanson encore?...
Me vaux-tu seulement moi!...

HEURES

Aumône au malandrin en chasse
Mauvais œil à l'œil assassin!
Fer contre fer au spadassin!
— Mon âme n'est pas en état de grâce! —

Je suis le fou de Pampelune,
J'ai peur du rire de la Lune,
Cafarde, avec son crêpe noir...
Horreur! tout est donc sous un éteignoir.

J'entends comme un bruit de crécelle...
C'est la male heure qui m'appelle.
Dans le creux des nuits tombe : un glas... deux glas

J'ai compté plus de quatorze heures...
L'heure est une larme — Tu pleures,
Mon cœur!... Chante encor, va — Ne compte pas.

CHANSON EN *SI*

Si j'étais noble Faucon,
Tournoîrais sur ton balcon...
— Taureau : foncerais ta porte...
— Vampire : te boirais morte...
    Te boirais !

— Geôlier : lèverais l'écrou...
— Rat : ferais un petit trou...
Si j'étais brise alizée,
Te mouillerais de rosée...
    Roserais !

Si j'étais gros Confesseur,
Te fouaillerais, ô Ma Sœur !
Pour seconde pénitence,
Te dirais ce que je pense...
    Te dirais...

Si j'étais un maigre Apôtre,
Dirais : « Donnez-vous l'un l'autre,
Pour votre faim apaiser :
Le pain-d'amour : Un baiser. »
    Si j'étais !...

Si j'étais Frère-quêteur,
Quêterais ton petit cœur
Pour Dieu le Fils et le Père,
L'Église leur Sainte Mère...
    Quêterais !

Si j'étais Madone riche,
Jetterais bien, de ma niche,
Un regard, un sou béni
Pour le cantique fini...
      Jetterais!

Si j'étais un vieux bedeau,
Mettrais un cierge au rideau...
D'un goupillon d'eau bénite,
L'éteindrais, la vespre dite,
      L'éteindrais!

Si j'étais roide pendu,
Au ciel serais tout rendu :
Grimperais après ma corde,
Ancre de miséricorde,
      Grimperais!

Si j'étais femme... Eh, la Belle,
Te ferais ma Colombelle...
À la porte les galants
Pourraient se percer des flancs...
      Te ferais...

Enfant, si j'étais la duègne
Rossinante qui te peigne,
Señora, si j'étais Toi...
J'ouvrirais au pauvre Moi,
    — Ouvrirais! —

PORTES ET FENÊTRES

N'entends-tu pas? — Sang et guitare! —
Réponds!... je damnerai plus fort.
Nulle ne m'a laissé, Barbare,
Aussi longtemps me crier mort!

Ni faire autant de purgatoire!...
Tu ne vois ni n'entends mes pas,
Ton œil est clos, la nuit est noire :
Fais signe — Je ne verrai pas.

En enfer j'ai pavé ta rue.
Tous les damnés sont en émoi...
Trop incomparable Inconnue!
Si tu n'es pas là... préviens-moi!

À damner je n'ai plus d'alcades,
Je n'ai fait que me damner moi,
En serinant mes sérénades...
— Il ne reste à damner que Toi!

GRAND OPÉRA

Ier ACTE *(Vêpres).*

Dors sous le tabernacle, ô Figure de cire!
Triple Châsse vierge et martyre,
Derrière un verre, sous le plomb,
Et dans les siècles des siècles... Comme c'est long!

Portes-tu ton cœur d'or sur ta robe lamée,
Ton âme veille-t-elle en la lampe allumée?...

> Elle est éteinte
> Cette huile sainte...
> Il est éteint
> Le sacristain!...

L'orgue sacré, ses flots et ses bruits de rafale
Sous les voûtes, font-ils frissonner ton front pâle?...

Dans ton éternité sais-tu la barbarie
De mon orgue infernal, *orgue de Barbarie?*

Du prêtre, sous l'autel, n'ouïs-tu pas les pas
Et le mot qu'à l'Hostie il murmure tout bas?...

— Eh bien! moi j'attendrai que sur ton oreiller,
La trompette de Dieu vienne te réveiller!

. . . .

Châsse, ne sais-tu pas qu'en passant ta chapelle,
> De par le Pape, tout fidèle,
Évêque, publicain ou lépreux, a le droit
De t'entr'ouvrir sa plaie et d'en toucher ton doigt?...
> À Saint-Jacques de Compostelle
J'en ai bien fait autant pour un bout de chandelle.

À ce prix-là je dois baiser la blanche hostie
Qui scelle, sur ta bouche en or, ta chasteté
> Close en odeur de sainteté
> . . . .
> Cordieu! Madame est donc sortie?...

IIe ACTE *(Sabbat).*

Je suis un bon ange, ô bel Ange !
Pour te couvrir, doux gardien...
La terre maudite me tient.
Ma plume a trempé dans la fange...

Hâ ! je ne bats plus que d'une aile !...
Prions... l'esprit du Diable est prompt...
— Ah ! si j'étais lui, de quel bond
Je serais sur toi, la Donzelle !

... Ma blanche couronne à ma tête
Déjà s'effeuille ; la tempête
Dans mes mains a brisé mon lys...

Par Belzébuth ! contre la borne
Je viens de me rompre la corne !
. . . .
Comme les trucs sont démolis !

IIIe ACTE *(Sereno).*

Holà !... je vois poindre un fanal oblique
    — Flamberge au vent, joli Muguet !
    Sangre Dios ! rossons le guet !...

    Un bonhomme mélancolique
Chante : — Bonsoir Señor, Señor Caballero,
    Sereno... — Sereno toi-même !
    Minuit : second jour de carême,
    Prêtez-moi donc un cigaro...

> *Gracia!* La Vierge vous garde!
— La Vierge?... grand merci, vieux! Je sens la mou-
> [tarde!...
— Par Saint-Joseph! Señor, que faites-vous ici? —
> — Mais... pas grand'chose et toi, merci.

— C'est pour votre plaisir?... — Je damne les alcades
> De Tolose au Guadalété!
— Il est un violon, là-bas sous les arcades...
> — Çà : n'as-tu jamais arrêté
> Musset... musset pour sérénade?

> — *Santos!...* non, sur la promenade,
> Je n'ai jamais vu de mussets...
> — Son page était en embuscade...
— *Ah Carambah!* Monsieur est un señor **Français**
> Qui vient nous la faire à l'aubade?...

PIÈCE À CARREAUX

> Ah! si Vous avez à Tolède,
> > Un vitrier
> Qui vous forge un vitrail plus raide
> > Qu'un bouclier!...

> À Tolède j'irai ma flamme
> > Souffler, ce soir;
> À Tolède tremper la lame
> > De mon rasoir!

> Si cela ne vous amadoue :
> > Vais aiguiser,
> Contre tous les cuirs de Cordoue,
> > Mon dur baiser :

— Donc — À qui rompra : votre oreille,
　　　Ou bien mes vers !
Ma corde-à-boyaux sans pareille,
　　　Ou bien vos nerfs ?

— À qui fendra : ma castagnette,
　　　Ou bien vos dents...
L'Idole en grès, ou le Squelette
　　　Aux yeux dardants !

— À qui fondra : vous ou mes cierges,
　　　Ô plombs croisés !...
En serez-vous beaucoup plus vierges,
　　　Carreaux cassés ?

Et Vous qui faites la cornue,
　　　Ange là-bas !...
En serez-vous un peu moins nue,
　　　Les habits bas ?

— Ouvre ! fenêtre à guillotine :
　　　C'est le bourreau !
— Ouvre donc porte de cuisine !
　　　C'est Figaro.

... Je soupire, en vache espagnole,
　　　Ton numéro
Qui n'est, en français, Vierge molle !
　　　Qu'un grand ZÉRO.

　　　　　　　Cadix. — Mai.

Raccrocs

LAISSER-COURRE

Musique de: Isaac Laquedem.

J'ai laissé la potence
Après tous les pendus,
Andouilles de naissance,
Maigres fruits défendus;
Les plumes aux canards
Et la queue aux renards...

Au Diable aussi sa queue
Et ses cornes aussi,
Au ciel sa chose bleue
Et la Planète — ici —
Et puis tout : n'importe où
Dans le désert au clou.

J'ai laissé dans l'Espagne
Le reste et mon château;
Ailleurs, à la campagne,
Ma tête et son chapeau;
J'ai laissé mes souliers,
Sirènes, à vos pieds!

J'ai laissé par les mondes,
Parmi tous les frisons
Des chauves, brunes, blondes
Et rousses... mes toisons.
Mon épée aux vaincus,
Ma maîtresse aux cocus...

Aux portes les portières,
La portière au portier,
Le bouton aux rosières,
Les roses au rosier,
À l'huys les huissiers,
Créance aux créanciers...

Dans mes veines ma veine,
Mon rayon au soleil,
Ma dégaine en sa gaine,
Mon lézard au sommeil;
J'ai laissé mes amours
Dans les tours, dans les fours...

Et ma cotte de maille
Aux artichauts de fer
Qui sont à la muraille
Des jardins de l'Enfer;
Après chaque oripeau
J'ai laissé de ma peau.

J'ai laissé toute chose
Me retirer du nez
Des vers, en vers, en prose...
Aux bornes, les bornés;
À tous les jeux partout,
Des rois et de l'atout.

J'ai laissé la police
Captive en liberté,

J'ai laissé La Palisse
Dire la vérité ...
Laissé courre le sort
Et ce qui court encor.

J'ai laissé l'Espérance,
Vieillissant doucement,
Retomber en enfance,
Vierge folle sans dent.
J'ai laissé tous les Dieux,
J'ai laissé pire et mieux.

J'ai laissé bien tranquilles
Ceux qui ne l'étaient pas ;
Aux pattes imbéciles
J'ai laissé tous les plats ;
Aux poètes la foi...
Puis me suis laissé moi.

Sous le temps, sans égides
M'a mal mené fort bien
La vie à grandes guides...
Au bout des guides — rien —
... Laissé, blasé, passé,
Rien ne m'a rien laissé...

À MA JUMENT SOURIS

Pas d'éperon ni de cravache,
N'est-ce pas, Maîtresse à poil gris...
C'est bon à pousser une vache,
Pas une petite Souris.

Pas de mors à ta pauvre bouche :
Je t'aime, et ma cuisse te touche.
Pas de selle, pas d'étrier :
J'agace, du bout de ma botte,
Ta patte d'acier fin qui trotte.
Va : je ne suis pas cavalier...

— Hurrah! c'est à nous la poussière!
J'ai la tête dans ta crinière,
Mes deux bras te font un collier.
— Hurrah! c'est à nous le hallier!

— Hurrah! c'est à nous la barrière!
— Je suis emballé : tu me tiens —
Hurrah!... et le fossé derrière...
Et la culbute!... — Femme tiens!!

À LA DOUCE AMIE

Çà : badinons — J'ai ma cravache —
Prends ce mors, bijou d'acier gris;
— Tiens : ta dent joueuse le mâche...
En serrant un peu : tu souris...

— Han!... C'est pour te faire la bouche...
— V'lan!... C'est pour chasser une mouche...
Veux-tu sentir te chatouiller
L'éperon, honneur de ma botte?...
— Et la *Folle-du-logis* trotte... —
Jouons à l'Amour-cavalier!

Porte-beau ta tête altière,
Laisse mes doigts dans ta crinière...

J'aime voir ton beau col ployer!...
Demain : je te donne un collier.

— Pourquoi regarder en arrière?...
Ce n'est rien : c'est une étrivière...
Une étrivière... et — je te tiens!
. . . .
Et tu m'as aimé... — rosse, tiens!

À MON CHIEN POPE

— GENTLEMAN-DOG FROM NEW-LAND —

mort d'une balle.

Toi : ne pas suivre en domestique,
Ni lécher en fille publique!
— Maître-philosophe cynique :
N'être pas traité comme un chien,
Chien! tu le veux — et tu fais bien.

— Toi : rester toi; ne pas connaître
Ton écuelle ni ton maître.
Ne jamais marcher sur les mains,
Chien! — c'est bon pour les humains.

... Pour l'amour — qu'à cela ne tienne :
Viole des chiens — Gare la Chienne!

Mords — Chien — et nul ne te mordra.
Emporte le morceau — Hurrah! —

Mais après, ne fais pas la bête;
S'il faut payer — paye — Et fais tête
Aux fouets qu'on te montrera.

— Pur ton sang! pur ton chic sauvage!
— Hurler, nager —
Et, si l'on te fait enrager...
Enrage!

Île de Batz. — Octobre

À UN JUVÉNAL DE LAIT

Incipe, parve puer, risu cognoscere.

À grands coups d'avirons de douze pieds, tu rames
En vers... et contre tout — Hommes, auvergnats,
                                        [femmes. -
Tu n'as pas vu l'endroit et tu cherches l'envers.
Jeune renard en chasse... Ils sont trop verts — tes ver

C'est le *vers solitaire*. — On le purge. — *Ces Dames*
Sont le remède. Après tu feras de tes nerfs
Des cordes-à-boyau; quand, guitares sans âmes,
Les vers te reviendront déchantés et soufferts.

Hystérique à rebours, ta Muse est trop superbe,
Petit cochon de lait, qui n'as goûté qu'en herbe,
L'âcre saveur du fruit encore défendu.

Plus tard, tu colleras sur papier tes pensées,
Fleurs d'herboriste, mais, autrefois ramassées...
Quand il faisait beau temps au paradis perdu.

À UNE DEMOISELLE

Pour Piano et Chant.

a dent de ton Érard, râtelier osanore,
t scie et broie à cru, sous son tic-tac nerveux,
a gamme de tes dents, autre clavier sonore...
ouches qui ne vont pas aux cordes des cheveux !

– Cauchemar de meunier, ta : *Rêverie agile !*
– Grattage, ton : *Premier amour à quatre mains !*
femme transposée en *Morceau difficile,*
es croches sans douleur n'ont pas d'accents humains !

échiffre au clavecin cet accord de ma lyre ;
élégraphe à musique, il pourra le traduire :
ri d'os, dur, sec, qui plaque et casse — Plangorer...

amais ! — La *clef-de-Sol* n'est pas la clef de l'âme,
a *clef-de-Fa* n'est pas la syllabe de *Femme,*
t deux *demi-soupirs...* ce n'est pas soupirer.

DÉCOURAGEUX

e fut un vrai poète : Il n'avait pas de chant.
ort, il aimait le jour et dédaigna de geindre.
eintre : il aimait son art — Il oublia de peindre...
voyait trop — Et voir est un aveuglement.

— Songe-creux : bien profond il resta dans son rêve;
Sans lui donner la forme en baudruche qui crève,
Sans *ouvrir le bonhomme*, et se chercher dedans.

— Pur héros de roman : il adorait la brune,
Sans voir s'elle était blonde... Il adorait la lune;
Mais il n'aima jamais — Il n'avait pas le temps. —

— Chercheur infatigable : Ici-bas où l'on rame,
Il regardait ramer, du haut de sa grande âme,
Fatigué de pitié pour ceux qui ramaient bien...

Mineur de la pensée : il touchait son front blême,
Pour gratter un bouton ou gratter le problème
          Qui travaillait là — Faire rien. —

— Il parlait : « Oui, la Muse est stérile! elle est fille
D'amour, d'oisiveté, de prostitution;
Ne la déformez pas en ventre de famille
Que couvre un étalon pour la production!

« Ô vous tous qui gâchez, maçons de la pensée!
Vous tous que son caprice a touchés en amants,
— Vanité, vanité — La folle nuit passée,
Vous l'affichez *en charge* aux yeux ronds des manants

« Elle vous effleurait, vous, comme chats qu'on noie,
Vous avez accroché son aile ou son réseau,
Fiers d'avoir dans vos mains un bout de plume d'oie,
Ou des poils à gratter, en façon de pinceau! »

— Il disait : « Ô naïf Océan! Ô fleurettes,
Ne sommes-nous pas là, sans peintres, ni poètes!...
Quel vitrier a peint! quel aveugle a chanté!...
Et quel vitrier chante en raclant sa palette,

« Ou quel aveugle a peint avec sa clarinette !
— Est-ce l'art?... »
                    — Lui resta dans le Sublime Bête
Noyer son orgueil vide et sa virginité.

Méditerranée.

RAPSODIE DU SOURD

À Madame D ***.

'homme de l'art lui dit : — Fort bien, restons-en là.
.e traitement est fait : vous êtes sourd. Voilà
omme quoi vous avez l'organe bien perdu. —
:t lui comprit trop bien, n'ayant pas entendu.

— « Eh bien, merci Monsieur, vous qui daignez me
          La tête comme un bon cercueil.   [rendre
ésormais, à crédit, je pourrai tout entendre
          Avec un légitime orgueil...

. l'œil — Mais gare à l'œil jaloux, gardant la place
e l'oreille au clou!... — Non — À quoi sert de braver?
Si j'ai sifflé trop haut le ridicule en face,
n face, et bassement, il pourra me baver!...

oi, mannequin muet, à fil banal! — Demain,
ans la rue, un ami peut me prendre la main,
n me disant : vieux pot..., ou rien, en radouci;
:t je lui répondrai — Pas mal et vous, merci! —

Si l'un me corne un mot, j'enrage de l'entendre;
Si quelqu'autre se tait : serait-ce par pitié?...
Toujours, comme un *rebus*, je travaille à surprendre
Un mot de travers... — Non — On m'a donc oublié!

— Ou bien — autre guitare — un officieux être
Dont la lippe me fait le mouvement de paître,
Croit me parler... Et moi je tire, en me rongeant,
Un sourire idiot — d'un air intelligent!

— Bonnet de laine grise enfoncé sur mon âme!
Et — coup de pied de l'âne... Hue! — Une bonne-femme
Vieille Limonadière, aussi, de la Passion!
Peut venir saliver sa sainte compassion
Dans ma *trompe-d'Eustache*, à pleins cris, à plein cor,
Sans que je puisse au moins lui marcher sur un cor!

— Bête comme une vierge et fier comme un lépreux,
Je suis là, mais absent... On dit : Est-ce un gâteux,
Poète muselé, hérisson à rebours?... —
Un haussement d'épaule, et ça veut dire : un sourd.

— Hystérique tourment d'un Tantale acoustique!
Je vois voler des mots que je ne puis happer;
Gobe-mouche impuissant, mangé par un moustique,
Tête-de-turc gratis où chacun peut taper.

Ô musique céleste : entendre, sur du plâtre,
Gratter un coquillage! un rasoir, un couteau
Grinçant dans un bouchon!... un couplet de théâtre!
Un os vivant qu'on scie! un monsieur! un rondeau!...

— Rien — Je parle sous moi... Des mots qu'à l'air je jet'
De chic, et sans savoir si je parle en indou...
Ou peut-être en canard, comme la clarinette
D'un aveugle bouché qui se trompe de trou.

— Va donc, balancier soûl affolé dans ma tête !
Bats en branle ce bon tam-tam, chaudron fêlé
Qui rend la voix de femme ainsi qu'une sonnette,
Qu'un coucou !... quelquefois : un moucheron ailé...

— Va te coucher, mon cœur ! et ne bats plus de l'aile.
Dans la lanterne sourde étouffons la chandelle,
Et tout ce qui vibrait là — je ne sais plus où —
Oubliette où l'on vient de tirer le verrou.

— Soyez muette pour moi, contemplative Idole,
Tous les deux, l'un par l'autre, oubliant la parole,
Vous ne me direz mot : je ne répondrai rien...
Et rien ne pourra dédorer l'entretien.

Le silence est d'or (Saint Jean Chrysostome).

FRÈRE ET SŒUR JUMEAUX

Ils étaient tous deux seuls, oubliés là par l'âge...
Ils promenaient toujours tous les deux, à longs pas,
Obliquant de travers, l'air piteux et sauvage...
Et deux pauvres regards qui ne regardaient pas.

Ils allaient devant eux essuyant les risées,
— Leur parapluie aussi, vert, avec un grand bec —
Serrés l'un contre l'autre et roides, sans pensées...
Eh bien, je les aimais — leur parapluie avec ! —

Ils avaient tous les deux servi dans les gendarmes :
La Sœur à la *popote*, et l'Autre sous les armes ;
Ils gardaient l'uniforme encor — veuf de galon :
Elle avait la barbiche, et lui le pantalon.

Un Dimanche de Mai que tout avait une âme,
Depuis le champignon jusqu'au paradis bleu,
Je flânais aux bois, seul — à deux aussi : la femme
Que j'aimais comme l'air... m'en doutant assez peu.

— Soudain, au coin d'un champ, sous l'ombre verdoyante
Du parapluie éclos, nichés dans un fossé,
Mes Vieux Jumeaux, tous deux, à l'aube souriante,
Souriaient rayonnants... quand nous avons passé.

Contre un arbre, le vieux jouait de la musette,
Comme un sourd aveugle, et sa sœur dans un sillon,
Grelottant au soleil, écoutait un grillon
Et remerciait Dieu de son beau jour de fête.

— Avez-vous remarqué l'humaine créature
Qui végète loin du vulgaire intelligent,
Et dont l'âme d'instinct, au trait de la figure,
Se lit... — N'avez-vous pas aimé de chien couchant?...

Ils avaient de cela — De retour dans l'enfance,
Tenant chaud l'un à l'autre, ils attendaient le jour
Ensemble pour la mort comme pour la naissance...
— Et je les regardais en pensant à l'amour...

Mais l'Amour que j'avais près de moi voulut rire;
Et moi, pauvre honteux de mon émotion,
J'eus le cœur de crier au vieux duo : Tityre! —
. . . .
Et jai fait ces vieux vers en expiation.

LITANIE DU SOMMEIL

J'ai scié le sommeil!

MACBETH.

Vous qui ronflez au coin d'une épouse endormie,
Ruminant! savez-vous ce soupir : l'Insomnie?
– Avez-vous vu la Nuit, et le Sommeil ailé,
Papillon de minuit dans la nuit envolé,
Dans un coup d'aile ami, vous laissant sur le seuil,
Seul, dans le pot-au-noir au couvercle sans œil?
– Avez-vous navigué?... La pensée est la houle
Ressassant le galet : ma tête... votre boule.
– Vous êtes-vous laissé voyager en ballon?
– Non? — bien, c'est l'insomnie. — Un grand coup de
                                              [talon
Là! — Vous voyez cligner des chandelles étranges :
Une femme, une Gloire en soleil, des archanges...
Et, la nuit s'éteignant dans le jour à demi,
Vous vous réveillez coi, sans vous être endormi.

                    *

Sommeil! écoute-moi : je parlerai bien bas :
Sommeil. — Ciel-de-lit de ceux qui n'en ont pas!

Toi qui planes avec l'Albatros des tempêtes,
Et qui t'assieds sur les casques-à-mèche honnêtes!
Sommeil! — Oreiller blanc des vierges assez bêtes!
Et Soupape à secret des vierges assez faites!
– Moelleux Matelas de l'échine en arête!
Sac noir où les chassés s'en vont cacher leur tête!

Rôdeur de boulevard extérieur! Proxénète!
Pays où le muet se réveille prophète!
Césure du vers long, et Rime du poète!

Sommeil — Loup-Garou gris! Sommeil Noir de fumée
Sommeil! — Loup de velours, de dentelle embaumée!
Baiser de l'Inconnue, et Baiser de l'Aimée!
— Sommeil! Voleur de nuit! Folle-brise pâmée!
Parfum qui monte au ciel des tombes parfumées!
Carrosse à Cendrillon ramassant *les Traînées!*
Obscène Confesseur des dévotes mort-nées!

Toi qui viens, comme un chien, lécher la vieille plaie
Du martyr que la mort tiraille sur sa claie!
Ô sourire forcé de la crise tuée!
Sommeil! Brise alizée! Aurorale buée!

Trop-plein de l'existence, et Torchon neuf qu'on pas
Au CAFÉ DE LA VIE, à chaque assiette grasse!
Grain d'ennui qui nous pleut de l'ennui des espaces!
Chose qui court encor, sans sillage et sans traces!
Pont-levis des fossés! Passage des impasses!

Sommeil! — Caméléon tout pailleté d'étoiles!
Vaisseau-fantôme errant tout seul à pleines voiles!
Femme du rendez-vous, s'enveloppant d'un voile!
Sommeil! — Triste Araignée, étends sur moi ta toile

Sommeil auréolé! féerique Apothéose,
Exaltant le grabat du déclassé qui pose!
Patient Auditeur de l'incompris qui cause!
Refuge du pêcheur, de l'innocent qui n'ose!
Domino! Diables-bleus! Ange-gardien rose!

Voix mortelle qui vibre aux immortelles ondes!
Réveil des échos morts et des choses profondes,
— Journal du soir : Temps, Siècle et Revue des de
[Monde

FONTAINE de Jouvence et Borne de l'envie!
— Toi qui viens assouvir la faim inassouvie!
Toi qui viens délier la pauvre âme ravie,
Pour la noyer d'air pur au large de la vie!

Toi qui, le rideau bas, viens lâcher la ficelle
Du Chat, du Commissaire, et de Polichinelle,
Du violoncelliste et de son violoncelle,
Et la lyre de ceux dont la Muse est pucelle!

GRAND Dieu, Maître de tout! Maître de ma Maîtresse
Qui me trompe avec toi — l'amoureuse Paresse —
Ô Bain de voluptés! Éventail de caresse!

SOMMEIL! Honnêteté des voleurs! Clair de lune
Des yeux crevés! — SOMMEIL! Roulette de fortune
De tout infortuné! Balayeur de rancune!

À corde-de-pendu de la Planète lourde!
Accord éolien hantant l'oreille sourde!
— Beau Conteur à dormir debout : conte ta bourde?...
SOMMEIL! — Foyer de ceux dont morte est la falourde!

SOMMEIL — Foyer de ceux dont la falourde est morte!
Passe-partout de ceux qui sont mis à la porte!
Face-de-bois pour les créanciers et leur sorte!
Paravent du mari contre la femme-forte!

SURFACE des profonds! Profondeur des jocrisses!
Nourrice du soldat et Soldat des nourrices!
Paix des juges-de-paix! Police des polices!
SOMMEIL! — Belle-de-nuit entr'ouvrant son calice!
Larve, Ver-luisant et nocturne Cilice!
Dits de vérité de monsieur La Palisse!

SOUPIRAIL d'en haut! Rais de poussière impalpable,
Qui viens rayer du jour la lanterne implacable!

*

Sommeil — Écoute-moi, je parlerai bien bas :
Crépuscule flottant de l'*Être ou n'Être pas!*..

Sombre lucidité! Clair-obscur! Souvenir
De l'Inouï! Marée! Horizon! Avenir!
Conte des *Mille-et-une-nuits* doux à ouïr!
Lampiste d'*Aladin* qui sais nous éblouir!
Eunuque noir! muet blanc! Derviche! Djinn! Fakir!
Conte de Fée où *le Roi* se laisse assoupir!
Forêt-vierge où *Peau-d'Âne* en pleurs va s'accroupir!
Garde-manger où l'*Ogre* encor va s'assouvir!
Tourelle où *ma sœur Anne* allait voir rien venir!
Tour où *dame Malbrouck* voyait page courir...
Où *Femme Barbe-Bleue* oyait l'heure mourir!...
Où *Belle-au-Bois-Dormant* dormait dans un soupir!

Cuirasse du petit! Camisole du fort!
Lampion des éteints! Éteignoir du remord!
Conscience du juste, et du pochard qui dort!
Contre-poids des poids faux de l'épicier de Sort!
Portrait enluminé de la livide Mort!

Grand fleuve où Cupidon va retremper ses dards
Sommeil! — Corne de Diane, et corne du cornard!
Couveur de magistrats et Couveur de lézards!
Marmite d'*Arlequin!* — bout de cuir, lard, homard —
Sommeil! — Noce de ceux qui sont dans les beaux-art

Boulet des forcenés, Liberté des captifs!
Sabbat du somnambule et Relais des poussifs! —
Somme! Actif du passif et Passif de l'actif!
Pavillon de *la Folle* et *Folle* du poncif!...
— Ô viens changer de patte au cormoran pensif!

brun Amant de l'Ombre! Amant honteux du jour!
al de nuit où Psyché veut démasquer l'Amour!
rosse Nudité du chanoine en jupon court!
anier-à-salade idéal! Banal four!
mnibus où, dans l'Orbe, on fait pour rien un tour!

OMMEIL! Drame hagard! Sommeil, molle Langueur!
ouche d'or du silence et Bâillon du blagueur!
erceuse des vaincus! Perchoir des coqs vainqueurs!
linéa du livre où dorment les longueurs!

u jeune homme rêveur Singulier Féminin!
e la femme rêvant pluriel masculin!

MMEIL! — Râtelier du Pégase fringant!
MMEIL! — Petite pluie abattant l'ouragan!
MMEIL! — Dédale vague où vient le revenant!
MMEIL! — Long corridor où plangore le vent!

ANT du fainéant! Lazzarone infini!
rore boréale au sein du jour terni!

MMEIL! — Autant de pris sur notre éternité!
ur du cadran *à blanc!* Clou du Mont-de-Piété!
ritage en Espagne à tout déshérité!
up de rapière dans l'eau du fleuve Léthé!
aie au nimbe d'or des grands hallucinés!
l des petits hiboux! Aile des déplumés!

IENSE Vache à lait dont nous sommes les veaux!
he où le hère et le boa changent de peaux!
-en-ciel miroitant! Faux du vrai! Vrai du faux!
esse que la brute appelle le repos!
cière de Bohême à sayon d'oripeaux!
re sous l'ombrage essayant des pipeaux!
aps qui porte un chibouck à la place de faux!
que qui met un peu d'huile à ses ciseaux!

Parque qui met un peu de chanvre à ses fuseaux!
Chat qui joue avec le peloton d'Atropos!

Sommeil! — Manne de grâce au cœur disgracié!
. . . .

Le sommeil s'éveillant me dit : Tu m'a scié.
. . . .

*

Toi qui souffles dessus une épouse enrayée,
Ruminant! dilatant ta pupille éraillée;
Sais-tu?... Ne sais-tu pas ce soupir — Le Réveil!
Qui bâille au ciel, parmi les crins d'or du soleil
Et les crins fous de ta Déesse ardente et blonde?...
— Non?... — Sais-tu le réveil du philosophe immonde
— Le Porc — rognonnant sa prière du matin;
Ou le réveil, extrait-d'âge de la catin?...
As-tu jamais sonné le réveil de la meute;
As-tu jamais senti l'éveil sourd de l'émeute,
Ou le réveil de plomb du malade fini?...
As-tu vu s'étirer l'œil des Lazzaroni?...
Sais-tu?... ne sais-tu pas le chant de l'alouette?
— Non — Gluants sont tes cils, pâteuse est ta luett
Ruminant! Tu n'as pas l'Insomnie, éveillé;
Tu n'as pas le Sommeil, ô Sac ensommeillé!

(Lits divers — Une nuit de jo

IDYLLE COUPÉE

Avril.

C'est très parisien dans les rues
Quand l'Aurore fait le trottoir,
De voir sortir toutes les Grues
Du violon, ou de leur boudoir...

Chanson pitoyable et gaillarde :
Chiffons fanés papillotants,
Fausse note rauque et criarde
Et petits traits crus, turlutants :

Velours ratissant la chaussée;
Grande-duchesse mal chaussée,
Cocotte qui court becqueter
Et qui dit bonjour pour chanter...

J'aime les voir, tout plein légères,
Et, comme en façon de prières,
Entrer dire — Bonjour, gros chien —
Au *merlan*, puis au pharmacien.

J'aime les voir, chauves, déteintes,
Vierges de seize à soixante ans,
Rossignoler pas mal d'absinthes,
Perruches de tout leur printemps ;

Et puis *payer le mannezingue*,
Au *Polyte* qui sert d'Arthur,
Bon jeune homme né *brandezingue*,
Dos-bleu sous la blouse d'azur.

— C'est au boulevard excentrique,
Au — *BON RETOUR DU CHAMP DU NORD* —
Là : toujours vert le jus de trique,
Rose le nez des Croque-mort...

Moitié panaches, moitié cire,
Nez croqués vifs au demeurant,
Et gais comme un enterrement...
— Toujours le petit *mort* pour rire! —

Le voyou siffle — vilain merle —
Et le poète de charnier
Dans ce fumier cherche la perle,
Avec le peintre chiffonnier.

Tous les deux fouillant la pâture
De leur art... à coups de groins;
Sûrs toujours de trouver l'ordure.
— C'est le fonds qui manque le moins.

C'est toujours un fond chaud qui fume,
Et, par le soleil, lardé d'or...
Le rapin nomme ça : bitume;
Et le marchand de lyre : accord.

— Ajoutez une pipe en terre
Dont la spirale fait les cieux...
Allez : je plains votre misère,
Vous qui trouvez qu'on trouve mieux!

C'est le *Persil* des gueux sans poses,
Et des riches sans un radis...
— Mais ce n'est pas pour vous, ces choses,
Ô provinciaux de Paris!...

Ni pour vous, essayeurs de sauces,
Pour qui l'azur est un ragoût!

Grands empâteurs d'emplâtres fausses,
Ne fesant rien, fesant partout!

— Rembranesque! Raphaélique!
— Manet et Courbet au milieu —
...Ils donnent des noms de fabrique
À la pochade du bon Dieu!

Ces *Galimard cherchant la ligne*,
Et ces *Ducornet-né-sans-bras*,
Dont la blague, de chic, vous signe
N'importe quoi... qu'on ne peint pas

Dieu garde encor l'homme qui glane
Sur le soleil du promenoir,
De flairer jamais la soutane
De la vieille dame au bas noir!

...On dégèle, animal nocturne,
Et l'on se détache en vigueur;
On veut, aveugle taciturne,
À soi tout seul être blagueur.

Savates et chapeau grotesque
Deviennent de l'antique pur;
On se colle comme une fresque
Enrayonnée au pied d'un mur.

Il coule une divine flamme,
Sous la peau; l'on se sent avoir
Je ne sais quoi qui fleure l'âme...
Je ne sais — mais ne veux savoir.

La Muse malade s'étire...
Il semble que l'huissier sursoit...
Soi-même on cherche à se sourire,
Soi-même on a pitié de soi.

Volez, mouches et demoiselles !...
Le gouapeur aussi vole un peu
D'idéal... Tout n'a pas des ailes...
Et chacun vole comme il peut.

— Un grand pendard, cocasse, triste,
Jouissait de tout ça, comme moi,
Point ne lui demandais pourquoi...
Du reste — une gueule d'artiste —

Il reluquait surtout la tête
Et moi je reluquais le pié.
— Jaloux... pourquoi? c'eut été bête,
Ayant chacun notre moitié. —

Ma béatitude nagée
Jamais, jamais n'avait bravé
Sa silhouette ravagée
Plantée au milieu du pavé...

— Mais il fut un Dieu pour ce drille
Au soleil loupant comme ça,
Dessinant des yeux une fille...
— Un omnibus vert l'écrasa.

LE CONVOI DU PAUVRE

Paris, le 3o avril 1873,
Rue Notre-Dame-de-Lorette.

Ça monte et c'est lourd — Allons, Hue!
— Frères de renfort, votre main?...
C'est trop!... et je fais le gamin;
C'est mon Calvaire cette rue!

Depuis Notre-Dame-Lorette...
— Allons! *la Cayenne* est au bout,
Frère! du cœur! encor un coup!...
— Mais mon âme est dans la charrette :

Corbillard dur à fendre l'âme.
Vers en bas l'attire un aimant;
Et du piteux enterrement
Rit la Lorette notre dame...

C'est bien ça — Splendeur et misère! —
Sous le voile en trous a brillé
Un bout du tréteau funéraire;
Cadre d'or riche.. et pas payé.

La pente est âpre, tout de même,
Et les stations sont des *fours*,
Au tableau remontant le cours
De l'Élysée à la Bohème...

— Oui, camarade, il faut qu'on sue
Après son harnais et son art!...
Après les ailes : le brancard!
Vivre notre métier — ça tue...

Tués l'idéal et le râble!
Hue!... Et le cœur dans le talon!
. . . .
— Salut au convoi misérable
Du peintre écrémé du Salon!

— Parmi les martyrs ça te range;
C'est prononcé comme l'arrêt
De Rafaël, peintre au nom d'ange,
Par le Peintre au nom de... courbet!

DÉJEUNER DE SOLEIL

Bois de Boulogne, 1er mai.

Au Bois, les lauriers sont coupés,
Mais le *Persil* verdit encore;
Au *Serpolet*, petits coupés
Vertueux vont lever l'Aurore...

L'Aurore brossant sa palette :
Kh'ol, carmin et poudre de riz;
Pour faire dire — la coquette —
Qu'on fait bien les ciels à Paris.

Par ce petit-lever de Mai,
Le Bois se croit à la campagne :
Et, fraîchement trait, le champagne
Semble de la mousse de lait.

Là, j'ai vu les *Chère Madame*
S'encanailler avec le frais...
Malgré tout prendre un vrai bain d'âme !
— Vous vous engommerez après. —

... La voix à la note expansive :
— Vous comprenez; voici mon truc :
Je vends mes Memphis, et j'arrive...
— Cent louis!... — Eh, Eh! Bibi... — Mon duc?...

On presse de petites mains :
— Tiens.. assez pour cet attelage. —
Même les cochers, au dressage,
Redeviennent simples humains.

— Encor toi! vieille *Belle-Impure!*
Toujours, les pieds au plat, tu sors,
Dans ce déjeuner de nature,
Fondre un souper à huit ressorts... —

Voici l'école buissonnière :
Quelques maris jaunes de teint,
Et qui *rentrent dans la carrière*
D'assez bonne heure... le matin.

Le lapin inquiet s'arrête,
Un sergent-de-ville s'assied,
Le sportsman promène sa bête,
Et le rêveur la sienne — à pied. —

Arthur même a presque une tête,
Son faux-col s'ouvre matinal...
Peut-être se sent-il poète,
Tout comme *Byron* — son cheval.

Diane au petit galop de chasse
Fait galoper les papillons
Et caracoler sur sa trace,
Son Tigre et les vieux beaux Lions.

Naseaux fumants, grand œil en flamme,
Crins d'étalon : cheval et femme
Saillent de l'avant!...
           — Peu poli.
— Pardon : *maritime...* et joli.

VEDER NAPOLI POI MORI

Voir *Naples et...* — Fort bien, merci, j'en viens.
                                        — Patrie
D'Anglais en vrai, mal peints sur fond bleu-perruquier !
Dans l'indigo l'artiste en tous genres oublie
Ce *Ne-m'oubliez-pas* d'outremer : le douanier.

— Ô Corinne !... ils sont là déclamant sur ma malle...
Lasciate speranza, mes cigares dedans !
— Ô Mignon !... ils ont tout éclos mon linge sale
Pour le passer au bleu de l'éternel printemps !

Ils demandent *la main*... et moi je la leur serre !
Le portrait de ma Belle, avec *morbidezza*
Passe de mains en mains : l'inspecteur sanitaire
L'ausculte, et me sourit... trouvant *que c'est bien ça !*

Je venais pour chanter leur illustre guenille,
Et leur chantage a fait de moi-même un haillon !
Effeuillant mes faux-cols, l'un d'eux m'offre sa fille...
Effeuillant le faux-col de mon illusion !

— Naples ! panier percé des Seigneurs *Lazzarones*
          Riches d'un doux ventre au soleil !
Pilichinelles-Dieux, Rois pouilleux sur leurs trônes,
Clyso-pompant l'azur qui bâille leur sommeil !...

Ô Grands en rang d'oignons ! Plantes de pieds en lignes !
Vous dont la parure est un sac, un aviron !
Fils réchauffés du vieux Phœbus ! Et toujours dignes
Des chansons de Musset, du mépris de Byron !...

— Chœurs de *Mazanielli*, Torses de mandolines!
Vous dont le métier est d'être toujours dorés
De rayons et d'amour... et d'ouvrir les narines,
Poètes de plein air! Ô frères adorés!

Dolce Farniente!... — Non! c'est mon sac!... il nage
Parmi ces asticots, comme un chien crevé;
Et ma malle est hantée aussi... comme un fromage!
Inerte, ô Galilée! et... *e pur si muove*...

— Ne ruolże plus ça, toi, grand Astre stupide!
Tas de pâles voyous grouillant à se nourrir;
Ce n'est plus le lézard, c'est la sangsue à vide...
— Dernier *lazzarone* à moi le bon Dormir!

Napoli. — Dogana del porto.

VÉSUVES ET Cie

Pompeïa-station — Vésuve, est-ce encor toi?
Toi qui fis mon bonheur, tout petit, en Bretagne,
— Du bon temps où la foi transportait la montagne —
Sur un bel abat-jour, chez une tante à moi :

Tu te détachais noir, sur un fond transparent,
Et la lampe grillait les feux de ton cratère.
C'était le confesseur, dit-on, de ma grand'mère
Qui t'avait rapporté de Rome tout flambant...

Plus grand, je te revis à l'Opéra-Comique.
— Rôle jadis créé par toi : *Le Dernier Jour
De Pompéï*. — Ton feu s'en allait en musique,
On te soufflait ton rôle, et... tu ne fis qu'un four.

— Nous nous sommes revus : devant-de-cheminée,
À Marseille, en congé, sans musique, et sans feu :
Bleu sur fond rose, avec ta Méditerranée
Te renvoyant pendu, rose sur un champ bleu.

— Souvent tu vins à moi la première, ô Montagne !
Je te rends ta visite, exprès, à la campagne.
Le Vrai vésuve est toi, puisqu'on m'a *fait* cent francs !
. . . .
Mais les autres petits étaient plus ressemblants.

                                  Pompeï, aprile.

SONETO A NAPOLI

ALL'SOLE, ALL'LUNA
ALL'SABATO, ALL'CANÓNICO
E TUTTI QUANTI

CON PULCINELLA

Il n'est pas de Samedi
Qui n'ait soleil à midi ;
Femme ou fille soleillant,
Qui n'ait midi sans amant !...

Lune, Bouc, Curé cafard
Qui n'ait tricorne cornard !
— Corne au front et corne au seuil
Préserve du mauvais œil. —

...*L'Ombilic du jour* filant
Son macaroni brûlant,
Avec la tarentela :

Lucia, Maz'Aniello.
Santa-Pia, Diavolo,
— CON PULCINELLA. —

Mergelina-Venerdi, aprile 15.

À L'ETNA

Sicelides Musæ, paulo majora canamus.

VIRGILE.

Etna — j'ai monté le Vésuve...
Le Vésuve a beaucoup baissé :
J'étais plus chaud que son effluve,
Plus que sa crête hérissé...

— Toi que l'on compare à la femme...
— Pourquoi? — Pour ton âge? ou ton âme
De caillou cuit?... — Ça fait rêver...
— Et tu t'en fais rire à crever! —

—— Tu ris jaune et tousses : sans doute,
Crachant un vieil amour malsain;
La lave coule sous la croûte
De ton vieux cancer au sein.

— Couchons ensemble, Camarade!
Là — mon flanc sur ton flanc malade :
Nous sommes frères, par Vénus,
Volcan!...

   Un peu moins... un peu plus...

      Palerme. — Août.

LE FILS DE LAMARTINE
ET DE GRAZIELLA

> *C'est ainsi que j'expiai par ces
> larmes écrites la dureté et l'ingra-
> titude de mon cœur de dix-huit ans
> Je ne puis jamais relire ces vers
> sans adorer cette fraîche image que
> rouleront éternellement pour moi les
> vagues transparentes et plaintives
> du golfe de Naples... et sans me
> haïr moi-même; mais les âmes
> pardonnent là-haut. La sienne m'a
> pardonné. Pardonnez-moi aussi
> vous !!! J'ai pleuré.*
>
>   LAMARTINE, *Graziella*
>   (1 fr. 25 c. le vol.)

À l'île de Procide, où la mer de Sorrente
Scande un flot hexamètre à la fleur d'oranger,
Un Naturel se fait une petite rente
   En *Graziellant* l'Étranger...

L'Étrangère surtout, confite en Lamartine,
Qui paye pour fluer, vers à vers, sur les lieux...
— Du *Cygne-de-Saint-Point* l'Homme a si bien la mine
Qu'on croirait qu'il va rendre un vers... harmonieux.

C'est un peintre inspiré qui lui trouva sa balle,
Sa balle de profil : — Oh mais! dit-il, voilà!
Je te baptise, au nom de la couleur locale :
— Le fils de Lamartine et de Graziella! —

Vrai portrait du portrait du Rafaël fort triste *,...
Fort triste, pressentant qu'il serait décollé
De sa toile, pour vivre en la peau du *Harpiste*
Ainsi que de son fils, rafaël raffalé.

— *Raphaël-Lamartine et fils!* — Ô Fornarine-
Graziella! Vos noms font de petits profits;
L'écho dit pour deux sous : *Le Fils de Lamartine!*
Si Lamartine eût pu jamais avoir un fils!

— Et toi, Graziella... Toi, Lesbienne Vierge!
Nom d'amour, que, sopran' il a tant déchanté!...
Nom de joie!... et qu'il a pleuré — Jaune cierge —
Tu n'étais vierge que de sa virginité!

— Dis : moins éoliens étaient, ô Grazielle,
Tes Mâles d'Ischia?... que ce pieux Jocelyn
Qui tenait, à côté, la lyre et la chandelle!...
Et, de loin, t'enterrait en chants de sacristain...

Ces souvenirs sont loin... — Dors, va! Dors sous les
        Que voit, n'importe où, l'étranger,   [pierres
Où fait paître ton Fils des familles entières
— Citron prématuré de ta Fleur d'Oranger —

Dors — l'Oranger fleurit encor... encor se fane;
Et la rosée et le soleil ont eu ses fleurs...
Le Poète-apothicaire en a fait sa tisane :
      Remède à vers! remède à pleurs!

---

 * Lamartine avoue quelque part qu'un seul portrait lui
ressemblait alors : celui de Raphaël peint par lui-même.

— Dors — L'Oranger fleurit encor... et la mémoire
Des jeunes d'autrefois dont l'ombre est encor là,
Qui ne t'ont pas pêchée au fond d'une écritoire...
Et n'en pêchaient que mieux! — dis, ô *picciola!*

— Mère de l'Antechrist de Lamartine-Père,
Aurore qui mourus sous un coup d'éteignoir,
Ton Orphelin, posthume et de père et de mère,
Allait — quand tu naquis — déjà comme un vieux Soir.

Graziella! — Conception trois fois immaculée...
D'un platonique amour, Messie et Souvenir,
Ce Fils avait vingt ans quand, Mère inoculée,
Tu mourus à seize ans!... C'est bien tôt pour nourrir!

— Pour toi : c'est ta seule œuvre mâle, ô Lamartine,
Saint-Joseph de la Muse, avec elle couché,
Et l'aidant à vêler... par la grâce divine :
Ton fils avant la lettre est conçu sans péché!...

— LUI se souvient très peu de ces scènes passées...
Mais il *laisse le vent et le flot mumurer,*
Et l'Étranger, plongeant dans ses tristes pensées...
    En tirer un franc — pour pleurer!

Et, tout bas, il vous dit, de murmure en murmures :
Que sa fille ressemble à L'AUTRE... et qu'elle est là,
Qu'on peut pleurer, à l'heure, avec des rimes pures,
Et... — *pour cent sous, Signor* — nommer Graziella!

     Isola di Capri. — Gennaio.

LIBERTÀ *

À LA CELLULE IV BIS
(PRISON ROYALE DE GÊNES)

> *Lasciate ogni...*
> DANTE.

Ô belle hospitalière
Qui ne me connais pas,
Vierge publique et fière
Qui m'as ouvert les bras!...
Rompant ma longue chaîne,
L'eunuque m'a jeté
Sur ton sein royal, Reine!...
— Vanité, vanité! —

Comme la Vénus nue,
D'un bain de lait de chaux
Tu sors, blanche Inconnue,
Fille des noirs cachots
Où l'on pleure, d'usage...
— Moi : jamais n'ai chanté
Que pour toi, dans ta cage,
Cage de la gaîté!

La misère parée
Est dans le grand égout;
Dépouillons la livrée
Et la chemise et tout! -

Libertà. Ce mot se lit au fronton de la prison de Gênes (?)

Que tout mon baiser couvre
Ta franche nudité...
Vraie ou fausse, se rouvre
Une virginité!

— Plus ce ciel louche et rose
Ni ce soleil d'enfer!...
— Ta paupière mi-close
Tes cils, barreaux de fer!
Ta ceinture-dorée,
De fer! — Fidélité —
Et ta couche encastrée
Tombeau de volupté!

À nos cœurs plus d'alarmes :
Libres et bien à nous!...
Sens planer les gendarmes,
Pigeons du rendez-vous;
Et Cupidon-Cerbère
À qui la sûreté
De nos amours est chère...
Quatre murs! — Liberté!

Ho! l'Espérance folle
— Ce crampon — est au clou.
L'existence qui colle
Est collée à l'écrou.
Le souvenir qui hante
À l'huys est resté;
L'huys n'a pas de fente...
— Oh le carcan ôté! —

Laissons venir la Muse,
Elle osera chanter;
Et, si le jeu t'amuse,
Je veux te la prêter...

Ton petit lit de sangle,
Pour nous a rajouté
Les *trois bouts du triangle* :
Triple amour! — Trinité!

Plus d'huissiers aux mains sales!
Ni mains de chers amis!
Ni menottes banales!...
— Mon nom est *Quatre-Bis*. —
Hors la terrestre croûte,
Désert mal habité,
Loin des mortels je goûte
Un peu d'éternité.

— Prison, sûre conquête
Où le poète est roi!
Et boudoir plus qu'honnête
Où le sage est chez soi,
Cruche, au moins ingénue,
Puits de la vérité!
Vide, quand on l'a bue...
— Vase de pureté! —

— Seule est ta solitude,
Et béats tes ennuis
Sans pose et sans étude...
Plus de jours, plus de nuits!
C'est tout le temps dimanche,
Et le far-niente
Dort pour moi sur la planche
De l'idéalité...

... Jusqu'au jour de misère
Où, condamné, je sors
Seul, ramer ma galère...
Là, n'importe où,... dehors,

Laissant emprisonnée
À perpétuité
Cette fleur cloisonnée,
Qui fut ma liberté...

— Va : reprends, froide et dure,
Pour le captif oison.
Ton masque, ta figure
De porte de prison...
Que d'autres, basse race
Dont le dos est voûté,
Pour eux te trouvent basse,
Altière déité !

Cellule 4 *bis.* — Genova-la-Superba.

HIDALGO !

Ils sont fiers ceux-là !... comme poux sur la gale !
C'est à la don-juan qu'ils vous *font* votre malle.
Ils ne sentent pas bon, mais ils fleurent le preux :
Valeureux vauriens, crétins chevalereux !
Prenant sans demander — toujours suant la race, —
Et demandant un sol, — mais toujours pleins de grâce

Là, j'ai fait le croquis d'un mendiant à cheval :
— Le Cid... un cid par un *été* de carnaval :

— Je cheminais — à pied — traînant une compagne
Le soleil craquelait la route en blanc-d'Espagne;
Et *le cid* fut sur nous en un temps de galop...
Là, me pressant entre le mur et le garrot :

— Ah! seigneur *Cavalier*, d'honneur! sur ma parole!
Je mendie à genoux : un oignon... une obole?... —
(Et son cheval paissait mon col.) — Pauvre animal,
Il vous aime déjà! Ne prenez pas à mal...
— Au large! — Oh! mais : au moins votre bout de cigare?...
La Vierge vous le rende. — Allons : au large! ou : gare!...
(Son pied nu prenait ma poche en étrier.)
— Pitié pour un infirme, ô seigneur-cavalier...
— Tiens donc un sou... — Señor, que jamais je n'oublie
Votre Grâce! Pardon, je vous ai retardé...
Señora : Merci, toi! pour être si jolie...
Ma Jolie, et : Merci pour m'avoir regardé!

(Cosas de España.)

PARIA

Qu'ils se payent des républiques,
Hommes libres! — carcan au cou —
Qu'ils peuplent leurs nids domestiques!...
— Moi je suis le maigre coucou.

— Moi, — cœur eunuque, dératé
De ce qui mouille et ce qui vibre...
Que me chante leur Liberté,
À moi? toujours seul. Toujours libre.

— Ma Patrie... elle est par le monde;
Et, puisque la planète est ronde,
Je ne crains pas d'en voir le bout...
Ma patrie est où je la plante :
Terre ou mer, elle est sous la plante
De mes pieds — quand je suis debout.

— Quand je suis couché : ma patrie
C'est la couche seule et meurtrie
Où je vais forcer dans mes bras
Ma moitié, comme moi sans âme;
Et ma moitié : c'est une femme...
Une femme que je n'ai pas.

— L'idéal à moi : c'est un songe
Creux; mon horizon — l'imprévu —
Et le mal du pays me ronge...
Du pays que je n'ai pas vu.

Que les moutons suivent leur route,
De Carcassonne à Tombouctou...
— Moi, ma route me suit. Sans doute
Elle me suivra n'importe où.

Mon pavillon sur moi frissonne,
Il a le ciel pour couronne :
C'est la brise dans mes cheveux...
Et, dans n'importe quelle langue;
Je puis subir une harangue;
Je puis me taire si je veux.

Ma pensée est un souffle aride :
C'est l'air. L'air est à moi partout.
Et ma parole est l'écho vide
Qui ne dit rien — et c'est tout.

Mon passé : c'est ce que j'oublie.
La seule chose qui me lie
C'est ma main dans mon autre main.
Mon souvenir — Rien — C'est ma trace.
Mon présent, c'est tout ce qui passe
Mon avenir — Demain... demain

Je ne connais pas mon semblable;
Moi, je suis ce que je me fais.
— *Le Moi humain est haïssable...*
— Je ne m'aime ni ne me hais.

— Allons! la vie est une fille
Qui m'a pris à son bon plaisir...
Le miens, c'est : la mettre en guenille,
La prostituer sans désir.

— Des dieux?... — Par hasard j'ai pu naître;
Peut-être en est-il — par hasard...
Ceux-là, s'ils veulent me connaître,
Me trouveront bien quelque part.

— Où que je meure : ma patrie
S'ouvrira bien, sans qu'on l'en prie,
Assez grande pour mon linceul...
Un linceul encor : pour que faire?...
Puisque ma patrie est en terre
Mon os ira bien là tout seul...

Armor

PAYSAGE MAUVAIS

Sables de vieux os — Le flot râle
Des glas : crevant bruit sur bruit...
— Palud pâle, où la lune avale
De gros vers, pour passer la nuit.

— Calme de peste, où la fièvre
Cuit... Le follet damné languit.
— Herbe puante où le lièvre
Est un sorcier poltron qui fuit...

— La Lavandière blanche étale
Des trépassés le linge sale,
Au *soleil des loups*... — Les crapauds,

Petits chantres mélancoliques
Empoisonnent de leurs coliques,
Les champignons, leurs escabeaux.

Marais de Guérande. — Avril.

NATURE MORTE

Des coucous l'*Angelus* funèbre
A fait sursauter, à ténèbre,
Le coucou, pendule du vieux,

Et le chat-huant, sentinelle,
Dans sa carcasse à la chandelle
Qui flamboie à travers ses yeux.

— Écoute se taire la chouette...
— Un cri de bois : C'est *la brouette
De la Mort*, le long du chemin...

Et, d'un vol joyeux, la corneille
Fait le tour du toit où l'on veille
Le défunt qui s'en va demain.

Bretagne. — Avril.

UN RICHE EN BRETAGNE

O fortunatos nimium, sua si...
VIRGILE.

C'est le bon riche, c'est un vieux pauvre en Bretagne,
Oui, pouilleux de pavé sans eau pure et sans ciel !
— Lui, c'est un philosophe-errant dans la campagne ;
Il aime son pain noir sec — pas beurré de fiel...
S'il n'en a pas : bonsoir. — Il connaît une crèche
Où la vache lui prête un peu de paille fraîche,
Il s'endort, rêvassant planche-à-pain au milieu,
Et s'éveille au matin en bayant au Bon-Dieu.
— *Panem nostrum...* — Sa faim a le goût d'espérance..
Un *Benedicite* s'exhale de sa panse ;
Il sait bien que pour lui l'œil d'en haut est ouvert
Dans ce coin d'où tomba la manne du désert
Et le pain de son sac...

Il va de ferme en ferme.

Et jamais à son pas la porte ne se ferme,
— Car sa venue est bien. — Il entre à la maison
Pour allumer sa pipe en soufflant un tison...
Et s'assied. — Quand on a quelque chose, on lui donne;
Alors, il se secoue et rit, tousse et rognonne
Un *Pater* en hébreu. Puis, son bâton en main,
Il reprend sa tournée en disant : à demain.
Le gros chien de la cour en passant le caresse...
— Avec ça, peut-on pas se passer de maîtresse?...
Et, — qui sait, — dans les champs, un beau jour, la
                                                [beauté
Peut s'amuser à faire aussi la charité...

— Lui, n'est pas pauvre : il est *Un Pauvre*, — et s'en
                                                [contente
Est un petit rentier, moins l'ennui de la rente.
Seul, il se chante vêpre en berçant son ennui...
— Travailler — Pour que faire? — ... On travaille pour
Point ne doit déroger, il perdrait la pratique;   [lui.
Il doit garder intact son vieux blason mystique.
— Noblesse oblige. — Il est saint : à chaque foyer
Sa niche est là, tout près du grillon familier.
En messager boiteux, il a plus d'une histoire
À faire froid au dos, quand la nuit est bien noire...
N'a-t-il pas vu, rôdeur, durant les clairs minuits
Dans la lande danser les *cornandons* maudits...

Il est simple... peut-être. — Heureux ceux qui sont
                                                [simples!...
À la lune, n'a-t-il jamais cueilli des simples?...
Il est sorcier peut-être... et, sur le mauvais seuil,
Pourrait, en s'en allant, jeter le mauvais œil...
Mais non : mieux vaut porter bonheur; dans les
                                                [familles,
Proposer ou chercher des maris pour les filles.
Est de noce alors, très humble desservant

De *la part du bon-dieu*. — Dieu doit être content :
Plein comme feu Noé, son Pauvre est ramassé
Le lendemain matin au revers d'un fossé.

Ah, s'il avait été senti du doux Virgile...
Il eût été traduit par monsieur Delille,
Comme un « *trop fortuné s'il connût son bonheur...* »

— Merci : ça le connaît, ce marmiteux seigneur !

Saint-Thégonnec.

SAINT TUPETU DE TU-PE-TU

C'est au pays de Léon. — Est une petite chapelle à sai
Tupetu. (En breton : *D'un côté ou de l'autre*.)

Une fois l'an, les croyants — fatalistes chrétiens — s
rendent en pèlerinage, afin d'obtenir, par l'entremise c
Saint, le dénoûment fatal de toute affaire nouée : la délivran
d'un malade tenace ou d'une vache pleine ; ou, tout au moir
quelque signe de l'avenir : tel que c'est écrit là-haut. ·
*Puisque cela doit être, autant que cela soit de suite... d'un cô
ou de l'autre. — Tu-pe-tu.*

L'oracle fonctionne pendant la grand'messe : l'officiant fe
faire, pour chacun, un tour à la *Roulette-de-chance*, grai
cercle en bois fixé à la voûte et manœuvré par une long
corde que Tupetu tient lui-même dans sa main de gran
La roue, garnie de clochettes, tourne en carillonnant ; s
point d'arrêt présage l'arrêt du destin : — *D'un côté ou
l'autre.*

Et chacun s'en va comme il est venu, quitte à revenir l'
prochain... *Tu-pe-tu* finit fatalement par avoir son effet.

Il est, dans la vieille Armorique,
Un saint — des saints le plus pointu —
Pointu comme un clocher gothique
Et comme son nom : TUPETU.

Son petit clocheton de pierre
Semble prêt à changer de bout...
Il lui faut, pour tenir debout,
Beaucoup de foi... beaucoup de lierre...

Et, dans sa chapelle ouverte, entre
— Tête ou pieds — tout franc Breton
Pour lui tâter l'œuf dans le ventre,
L'œuf du destin : C'est oui? — c'est non?

— Plus fort que sainte Cunégonde
Ou Cucugnan de Quilbignon...
Petit prophète au pauvre monde,
Saint de la veine ou du guignon,

Il tient sa *Roulette-de-chance*
Qu'il vous fait aller pour cinq sous;
Ça dit bien, mieux qu'une balance,
Si l'on est dessus ou dessous.

C'est la roulette sans pareille,
Et les grelots qui sont parmi
Vont, là-haut, chatouiller l'oreille
Du coquin de Sort endormi.

Sonnette de la Providence,
Et serinette du Destin;
Carillon faux, mais argentin;
Grelottière de l'Espérance...

Tu-pe-tu — D'un bord ou de l'autre!
Tu-pe-tu — Banco — Quitte-ou-tout!
Juge-de-paix sans patenôtre...
TUPETU, saint valet d'atout!

Tu-pe-tu — Pas de milieu!...
TUPETU, sorcier à musique,

Croupier du tourniquet mystique
Pour les macarons du Bon-Dieu!...

Médecin héroïque, il pousse
Le mourant à sauter le pas :
Soit dans la vie à la rescousse...
Soit, à pieds joints, en plein trépas :

— *Tu-pe-tu!* cheval couronné!
— *Tu-pe-tu!* qu'on saute ou qu'on butte!
— *Tu-pe-tu!* vieillard obstiné!...
Au bout du fossé la culbute!

Tupetu, saint tout juste honnête,
Petit Janus chair et poisson!
Saint confesseur à double tête,
Saint confesseur à double fond!...

— Pile-ou-face de la vertu,
Ambigu patron des pucelles
Qui viennent t'offrir des chandelles...
Jésuite! tu dis : — *Tu-pe-tu!*...

LA RAPSODE FORAINE
ET
LE PARDON DE SAINTE-ANNE

La Palud, 27 Août, jour du Pardon.

Bénite est l'infertile plage
Où, comme la mer, tout est nud.
Sainte est la chapelle sauvage
De Sainte-Anne-de-la-Palud...

De la Bonne Femme Sainte Anne
Grand'tante du petit Jésus,
En bois pourri dans sa soutane
Riche... plus riche que Crésus !

Contre elle la petite Vierge,
Fuseau frêle, attend l'*Angelus*;
Au coin, Joseph tenant son cierge,
Niche, en saint qu'on ne fête plus...

. . . .

C'est le *Pardon*. — Liesse et mystères —
Déjà l'herbe rase a des poux...
— *Sainte Anne, Onguent des belles-mères !*
Consolation des époux !...

Des paroisses environnantes :
De Plougastel et Loc-Tudy,
Ils viennent tous planter leurs tentes,
Trois nuits, trois jours — jusqu'au lundi.

Trois jours, trois nuits, la palud grogne,
Selon l'antique rituel,
— Chœur séraphique et chant d'ivrogne —
Le *CANTIQUE SPIRITUEL.*

***

Mère taillée à coups de hache,
Tout cœur de chêne dur et bon ;
Sous l'or de ta robe se cache
L'âme en pièce d'un franc-Breton !

*

— Vieille verte à face usée
Comme la pierre du torrent,

Par des larmes d'amour creusée,
Séchée avec des pleurs de sang...

*

— Toi dont la mamelle tarie
S'est refait, pour avoir porté
La Virginité de Marie,
Une mâle virginité !

*

— Servante-maîtresse altière,
Très-haute devant le Très-Haut ;
Au pauvre monde, pas fière,
Dame pleine de comme-il-faut !

*

— Bâton des aveugles ! Béquille
Des vieilles ! Bras des nouveau-nés !
Mère de madame ta fille !
Parente des abandonnés !

*

— Ô Fleur de la pucelle neuve !
Fruit de l'épouse au sein grossi !
Reposoir de la femme veuve...
Et du veuf Dame-de-merci !

*

— Arche de Joachim ! Aïeule !
Médaille de cuivre effacé !
Gui sacré ! Trèfle-quatre-feuille !
Mont d'Horeb ! Souche de Jessé !

*

— Ô toi qui recouvrais la cendre,
Qui filais comme on fait chez nous,
Quand le soir venait à descendre,
Tenant l'ENFANT sur tes genoux ;

*

Toi qui fus là, seule, pour faire
Son maillot neuf à Bethléem,
Et là, pour coudre son suaire
Douloureux, à Jérusalem !...

*

Des croix profondes sont tes rides,
Tes cheveux sont blancs comme fils...
— Préserve des regards arides
Le berceau de nos petits-fils !

*

Fais venir et conserve en joie
Ceux à naître et ceux qui sont nés.
Et verse, sans que Dieu te voie,
L'eau de tes yeux sur les damnés !

*

Reprends dans leur chemise blanche
Les petits qui sont en langueur...
Rappelle à l'éternel Dimanche
Les vieux qui traînent en longueur.

*

— Dragon-gardien de la Vierge,
Garde la crèche sous ton œil.
Que, près de toi, Joseph-concierge
Garde la propreté du seuil !

*

Prends pitié de la fille-mère,
Du petit au bord du chemin...
Si quelqu'un leur jette la pierre,
Que la pierre se change en pain !

*

— Dame bonne en mer et sur terre,
Montre-nous le ciel et le port,
Dans la tempête ou dans la guerre...
Ô Fanal de la bonne mort !

*

Humble : à tes pieds n'as point d'étoile,
Humble... et brave pour protéger !
Dans la nue apparaît ton voile,
Pâle auréole du danger.

*

— Aux perdus dont la vie est grise,
(— Sauf respect — perdus de boisson)
Montre le clocher de l'église
Et le chemin de la maison.

*

Prête ta douce et chaste flamme
Aux chrétiens qui sont ici...
Ton remède de bonne femme
Pour les bêtes-à-corne aussi !

*

Montre à nos femmes et servantes
L'ouvrage et la fécondité...
— Le bonjour aux âmes parentes
Qui sont bien dans l'éternité !

*

Nous mettrons un cordon de cire,
De cire-vierge jaune, autour
De ta chapelle ; et ferons dire
Ta messe basse au point du jour.

*

— Préserve notre cheminée
Des sorts et du monde-malin...
À Pâques te sera donnée
Une quenouille avec du lin.

*

Si nos corps sont puants sur terre,
Ta grâce est un bain de santé ;
Répands sur nous, au cimetière,
Ta bonne odeur-de-sainteté.

*

— À l'an prochain ! — Voici ton cierge :
(C'est deux livres qu'il a coûté)
... Respects à Madame la Vierge,
Sans oublier la Trinité.

***

... Et les fidèles, en chemise,
— Sainte Anne, ayez pitié de nous ! —
Font trois fois le tour de l'église
En se traînant sur leurs genoux;

Et boivent l'eau miraculeuse
Où les Job teigneux ont lavé
Leur nudité contagieuse...
— Allez : la Foi vous a sauvé ! —

C'est là que tiennent leurs cénacles
Les pauvres, frères de Jésus.
— Ce n'est pas la cour des miracles,
Les trous sont vrais : *Vide latus !*

Sont-ils pas divins sur leurs claies,
Qu'auréole un nimbe vermeil,
Ces propriétaires de plaies,
Rubis vivants sous le soleil !...

En aboyant, un rachitique
Secoue un moignon désossé,
Coudoyant un épileptique
Qui travaille dans un fossé.

Là, ce tronc d'homme où croît l'ulcère,
Contre un tronc d'arbre où croît le gui;

Ici, c'est la fille et la mère
Dansant la danse de Saint-Guy.

Cet autre pare le cautère
De son petit enfant malsain :
— L'enfant se doit à son vieux père...
— Et le chancre est un gagne-pain !

Là, c'est l'idiot de naissance,
Un *visité par Gabriel*,
Dans l'extase de l'innocence...
— L'innocent est près du ciel ! —

— Tiens, passant, regarde : tout passe...
L'œil de l'idiot est resté,
Car il est en état-de-grâce...
— Et la Grâce est l'Éternité ! —

Parmi les autres, après vêpre,
Qui sont d'eau bénite arrosés,
Un cadavre, vivant de lèpre,
Fleurit — souvenir des croisés...

Puis tous ceux que les Rois de France
Guérissaient d'un toucher de doigts...
— Mais la France n'a plus de rois,
Et leur dieu suspend sa clémence.

— Charité dans leurs écuelles !...
Nos aïeux ensemble ont porté
Ces fleurs de lis en écrouelles
Dont ces *choisis* ont hérité.

— *Miserere* pour les ripailles
Des *Ankokrignets* et *Kakous* !...
Ces moignons-là sont des tenailles,
Ces béquilles donnent des coups.

Risquez-vous donc là, gens ingambes,
Mais gare pour votre toison :
Gare aux bras crochus! gare aux jambes
En *kyriè-éleison!*

... Et détourne-toi, jeune fille,
Qui viens là voir, et prendre l'air...
Peut-être, sous l'autre guenille,
Percerait la guenille en chair...

C'est qu'ils chassent là sur leurs terres!
Leurs peaux sont leurs blasons béants :
— Le droit-du-seigneur à leurs serres!...
Le droit du Seigneur de céans! —

Tas d'*ex-voto* de carne impure,
Charnier d'élus pour les cieux,
Chez le Seigneur ils sont chez eux!
— Ne sont-ils pas sa créature...

Ils grouillent dans le cimetière
On dirait les morts déroutés
N'ayant tiré de sous la pierre
Que des membres mal reboutés.

— Nous, taisons-nous!... Ils sont sacrés.
C'est la faute d'Adam punie
Le doigt d'En-haut les a marqués :
— La Droite d'En-haut soit bénie!

Du grand troupeau, boucs émissaires
Chargés des forfaits d'ici-bas,
Sur eux Dieu purge ses colères!...
— Le pasteur de Sainte-Anne est gras. —

. . . .

Mais une note pantelante,
Écho grelottant dans le vent
Vient battre la rumeur bêlante
De ce purgatoire ambulant.

Une forme humaine qui beugle
Contre le *calvaire* se tient;
C'est comme une moitié d'aveugle :
Elle est borgne, et n'a pas de chien...

C'est une rapsode foraine
Qui donne aux gens pour un liard
L'*Istoyre de la Magdalayne*,
Du *Juif-Errant* ou d'*Abaylar*.

Elle hâle comme une plainte,
Comme une plainte de la faim,
Et, longue comme un jour sans pain,
Lamentablement, sa complainte...

— Ça chante comme ça respire,
Triste oiseau sans plume et sans nid
Vaguant où son instinct l'attire :
Autour des Bon-Dieu de granit...

Ça peut parler aussi, sans doute.
Ça peut penser comme ça voit :
Toujours devant soi la grand'route...
— Et, quand ç'a deux sous... ça les boit.

— Femme : on dirait hélas — sa nippe
Lui pend, ficelée en jupon;
Sa dent noire serre une pipe
Éteinte... — Oh, la vie a du bon! —

Son nom... ça se nomme Misère.
Ça s'est trouvé né par hasard.

Ça sera trouvé mort par terre...
La même chose — quelque part.

— Si tu la rencontres, Poète,
Avec son vieux sac de soldat :
C'est notre sœur... donne — c'est fête —
Pour sa pipe, un peu de tabac!...

Tu verras dans sa face creuse
Se creuser, comme dans du bois,
Un sourire; et sa main galeuse
Te faire un vrai signe de croix.

CRIS D'AVEUGLE

(Sur l'air bas-breton *Ann hini goz*.)

L'œil tué n'est pas mort
Un coin le fend encor
Encloué je suis sans cercueil
On m'a planté le clou dans l'œil
L'œil cloué n'est pas mort
Et le coin entre encor

Deus misericors
Deus misericors
Le marteau bat ma tête en bois
Le marteau qui ferra la croix
Deus misericors
Deus misericors

Les oiseaux croque-morts
Ont donc peur à mon corps

Mon Golgotha n'est pas fini
Lamma lamma sabacthani
   Colombes de la Mort
   Soiffez après mon corps

   Rouge comme un sabord
   La plaie est sur le bord
Comme la gencive bavant
D'une vieille qui rit sans dent
   La plaie est sur le bord
   Rouge comme un sabord

   Je vois des cercles d'or
   Le soleil blanc me mord
J'ai deux trous percés par un fer
Rougi dans la forge d'enfer
   Je vois un cercle d'or
   Le feu d'en haut me mord

   Dans la moelle se tord
   Une larme qui sort
Je vois dedans le paradis
Miserere, De profundis
   Dans mon crâne se tord
   Du soufre en pleur qui sort

   Bienheureux le bon mort
   Le mort sauvé qui dort
Heureux les martyrs, les élus
Avec la Vierge et son Jésus
   Ô bienheureux le mort
   Le mort jugé qui dort

   Un Chevalier dehors
   Repose sans remords
Dans le cimetière bénit
Dans sa sieste de granit

L'homme en pierre dehors
A deux yeux sans remords

Ho je vous sens encor
Landes jaunes d'Armor
Je sens mon rosaire à mes doigts
Et le Christ en os sur le bois
À toi je baye encor
Ô ciel défunt d'Armor

Pardon de prier fort
Seigneur si c'est le sort
Mes yeux, deux bénitiers ardents
Le diable a mis ses doigts dedans
Pardon de crier fort
Seigneur contre le sort

J'entends le vent du nord
Qui bugle comme un cor
C'est l'hallali des trépassés
J'aboie après mon tour assez
J'entends le vent du nord
J'entends le glas du cor

Menez-Arrez.

LA PASTORALE DE CONLIE

PAR UN MOBILISÉ DU MORBIHAN

> *Moral jeunes troupes excellent.*
>
> OFF.

Qui nous avait levés dans le *Mois-noir* — Novembre —
 Et parqués comme des troupeaux
Pour laisser dans la boue, au *Mois-plus-noir*
     [— Décembre —
 Des peaux de mouton et nos peaux!

Qui nous a lâchés là : vides, sans espérance,
 Sans un levain de désespoir!
Nous entre-regardant, comme cherchant la France...
 Comiques, fesant peur à voir!

— Soldats tant qu'on voudra!... soldat est donc un être
 Fait pour perdre le goût du pain?...
Nous allions mendier; on nous envoyait paître :
 Et... nous paissions à la fin!

— S'il vous plaît : Quelque chose à mettre dans nos bou-
  — Héros et bêtes à moitié! —   [ches?..
... Ou quelque chose là : du cœur ou des cartouches :
  — On nous a laissé la pitié!

L'aumône : on nous la fit — Qu'elle leur soit rendue
 À ces bienheureux uhlans soûls!
Qui venaient nous jeter une balle perdue...
 Et pour rire!... comme des sous.

On eût dit un radeau de naufragés. — Misère —
　　Nous crevions devant l'horizon.
Nos yeux troubles restaient tendus vers une terre...
　　Un cri nous montait : Trahison !

— Trahison !... c'est la guerre ! On trouve à qui l'on crie !..
　　— Nous : pas besoin... — Pourquoi trahis ?...
J'en ai vu parmi nous, sur la Terre-Patrie,
　　Se mourir du mal-du-pays.

— Oh, qu'elle s'en allait morne, la douce vie !...
　　Soupir qui sentait le remord
De ne pouvoir serrer sur sa lèvre une hostie,
　　Entre ses dents la mâle-mort !...

— Un grand enfant nous vint, aidé par deux gendarmes,
　　— Celui-là ne comprenait pas —
Tout barbouillé de vin, de sueur et de larmes,
　　Avec un *biniou* sous son bras.

Il s'assit dans la neige en disant : Ça m'amuse
　　De jouer mes airs ; laissez-moi. —
Et, le surlendemain, avec sa cornemuse,
　　Nous l'avons enterré — Pourquoi !...

Pourquoi ? dites-leur donc ! Vous du Quatre-Septembre
　　À ces vingt mille croupissants !...
Citoyens-décréteurs de victoires en chambre,
　　Tyrans forains impuissants !

— La parole est à vous — la parole est légère !...
　　La Honte est fille... elle passa —
Ceux dont les pieds verdis sortent à fleur-de-terre
　　Se taisent... — Trop vert pour vous, ça !

— Ha ! Bordeaux, n'est-ce pas, c'est une riche ville...
　　Encore en France, n'est-ce pas ?...

Elle avait chaud partout votre garde mobile,
    Sous les balcons marquant le pas?

La résurrection de nos boutons de guêtres
    Est loin pour vous faire songer;
Et, vos noms, je les vois collés partout, ô Maîtres!...
    — La honte ne sait plus ronger. —

— Nos chefs... ils fesaient bien de se trouver malades!
    Armés en faux-turcs-espagnols
On en vit quelques-uns essayer des parades
    Avec la troupe des Guignols.

— *Le moral : excellent* — Ces rois avaient des reines,
    Parmi leurs sacs-de-nuit de cour...
À la botte vernie il faut robes à traînes;
    La vaillance est sœur de l'amour.

— Assez! — Plus n'en fallait de fanfare guerrière
    À nous, brutes garde-moutons,
Nous : ceux-là qui restaient simples, à leur manière,
    Soldats, catholiques, Bretons...

À ceux-là qui tombaient bayant à la bataille,
    Ramas de vermine sans nom,
Espérant le premier qui vînt crier : Canaille!
    Au canon, la chair à canon!...

— Allons donc : l'abattoir! — Bestiaux galeux qu'on
    On nous fournit aux Prussiens;   [rosse,
Et, nous voyant rouler-plat sous les coups de crosse,
    Des Français aboyaient — Bons chiens!

Hallali! ramenés! — Les perdus... Dieu les compte, —
    Abreuvés de banals dédains;
Poussés, traînant au pied la savate et la honte,
    Cracher sur nos foyers éteints!

. . . .

— Va : toi qui n'es pas bue, ô fosse de Conlie !
De nos jeunes sangs appauvris,
Qu'en voyant regermer tes blés gras, on oublie
Nos os qui végétaient pourris,

La chair plaquée après nos blouses en guenilles
— Fumier tout seul rassemblé...
— Ne mangez pas ce pain, mères et jeunes filles !
L'*ergot* de mort est dans le blé.

1870.

Gens de mer

Point n'ai fait un tas d'océans
Comme les Messieurs d'Orléans,
Ulysses à vapeur en quête...
Ni l'Archipel en capitan ;
Ni le Transatlantique autant
Qu'une chanteuse d'opérette.

Mais il fut flottant, mon berceau,
Fait comme le nid de l'oiseau
Qui couve ses œufs sur la houle...
Mon lit d'amour fut un hamac ;
Et, pour tantôt, j'espère un sac
Lesté d'un bon caillou qui coule.

— Marin, je sens mon matelot
Comme le bonhomme Callot
Sentait son illustre bonhomme...
— Va, bonhomme de mer mal fait !
Va, Muse à la voix de rogomme !
Va, Chef-d'œuvre de cabaret !

MATELOTS

Vos marins de quinquets à l'Opéra... comique,
Sous un frac en bleu-ciel jurent « Mille sabords! »
Et, sur les boulevards, le survivant chronique
Du *Vengeur* vend l'onguent à tuer les rats morts.
Le *Jûn'homme infligé d'un bras* — même en voyage —
Infortuné, chantant par suite de naufrage;
La femme en bain de mer qui tord ses bras au flot;
Et l'amiral *** — Ce n'est pas matelot! —

— Matelots — quelle brusque et nerveuse saillie
Fait cette *Race à part* sur la race faillie!
Comme ils vous mettent tous, *terriens*, au même sac!
— *Un curé dans ton lit, un' fill' dans mon hamac!* —

. . . .

— On ne les connaît pas, ces gens à rudes nœuds.
Ils ont le mal de mer sur vos *planchers à bœufs;*
À terre — oiseaux palmés — ils sont gauches et veule
Ils sont mal culottés comme leurs brûle-gueules.
Quand le roulis leur manque... ils se sentent rouler :
— *À terre, on a beau boire, on ne peut désoûler!*

— On ne les connaît pas. — Eux : que leur fait la terre?
Une relâche, avec l'hôpital militaire,
Des filles, la prison, des horions, du vin...
Le reste : Eh bien, après? — Est-ce que c'est marin?

— Eux ils sont matelots. — À travers les tortures,
Les luttes, les dangers, les larges aventures,
Leur *face-à-coups-de-hache* a pris un tic nerveux
D'insouciant dédain pour ce qui n'est pas Eux...

C'est qu'ils se sentent bien, ces chiens! Ce sont des mâles!
— Eux : l'Océan! — et vous : les plates-bandes sales;
Vous êtes des *terriens*, en un mot, des *troupiers :*
— *De la terre de pipe et de la sueur de pieds !* —

Eux sont les *vieux-de-cale* et *les frères-la-côte*,
Gens au cœur sur la main, et toujours la main haute;
Des natures en barre! — Et capables de tout...
— Faites-en donc autant!... Ils sont *de mauvais goût...*
— Peut-être... Ils ont chez vous des amours tolérées
Par un *grippe-Jésus* * accueillant leurs entrées...
— Eh! faut-il pas du cœur au ventre quelque part,
Pour entrer en plein jour là — bagne-lupanar,
Qu'ils nomment le *Cap-Horn*, dans leur langue hâlée :
— Le cap Horn, noir séjour de tempête grêlée —
Et se coller en vrac, sans crampe d'estomac,
De la chair à chiquer — comme un nœud de tabac!

Jetant leur solde avec leur trop-plein de tendresse,
À tout vent; ils vont là comme ils vont à la messe...
Les anges mal léchés, ces durs enfants perdus!
— Leur tête a du requin et du petit-Jésus.

Ils aiment à tout crin : Ils aiment plaie et bosse,
La Bonne-Vierge, avec le gendarme qu'on rosse;
Ils font des vœux à tout... mais leur vœu caressé
Est toujours l'habit bleu d'un *Jésus-Christ* ** rossé.

— Allez : ce franc cynique a sa grâce native...
Comme il vous toise un chef, à sa façon naïve!
Comme il connaît son maître : — *Un d'un seul bloc de bois!*
Un *mauvais chien toujours qu'un bon enfant parfois !*

. . . .

* *Grippe-Jésus:* petit nom marin du gendarme.
** *Jésus-Christ:* du même au même.

— Allez : à bord, chez eux, ils ont leur poésie !
Ces brutes ont des chants ivres d'âme saisie
Improvisés aux quarts sur le gaillard-d'avant...
— Ils ne s'en doutent pas, eux, poème vivant.

— Ils ont toujours, pour leur *bonne femme de mère*.
Une larme d'enfant, ces héros de misère ;
Pour leur *Douce-Jolie*, une larme d'amour !...
Au pays — loin — ils ont, espérant leur retour,
Ces gens de cuivre rouge, une pâle fiancée
Que, pour la mer jolie, un jour ils ont laissée.
Elle attend vaguement... comme on attend là-bas.
Eux ils portent son nom tatoué sur leur bras.
Peut-être elle sera veuve avant d'être épouse...
— Car la mer est bien grande et la mer est jalouse. —
Mais elle sera fière, à travers un sanglot,
De pouvoir dire encore : — Il était matelot !...

— C'est plus qu'un homme aussi devant la mer géante
Ce matelot entier !...
                Piétinant sous la plante
De son pied marin le pont près de crouler :
Tiens bon ! Ça le connaît, ça va le désoûler.
Il finit comme ça, simple en sa grande allure,
D'un bloc : — *Un trou dans l'eau, quoi !... pas de fioriture.* –
. . . .

On en voit revenir pourtant : bris de naufrage,
Ramassis de scorbut et hachis d'abordage...
Cassés, défigurés, dépaysés, perclus :
— Un œil en moins. — Et vous, en avez-vous en plus
— La fièvre-jaune. — Eh bien, et vous, l'avez-vous rose
— Une balafre. — Ah, c'est signé !... C'est quelque chose
— Et le bras en pantenne. — Oui, c'est un biscaïen,
Le reste c'est le bel ouvrage au chirurgien.

— Et ce trou dans la joue? — Un ancien coup de pique.
— Cette bosse? — *À tribord?*... excusez : c'est ma chique.
— Ça? — Rien : une *foutaise*, un pruneau dans la main,
Ça sert de baromètre, et vous verrez demain :
Je ne vous dis que ça, sûr! quand je sens ma crampe...
Allez, on n'en fait plus de coques de ma trempe!
On m'a pendu deux fois... —
                              Et l'honnête forban
Creuse un bateau de bois pour un petit enfant.

— Ils durent comme ça, reniflant la tempête
Riches de gloire et de trois cents francs de retraite,
Vieux culots de gargousse, épaves de héros!...
— Héros? — ils riraient bien!... — Non merci : matelots!

— Matelots! — Ce n'est pas vous, jeunes *mateluches*,
Pour qui les femmes ont toujours des coqueluches...
Ah, les vieux avaient de plus fiers appétits!
En haussant leur épaule ils vous trouvent petits.
À treize ans ils mangeaient de l'Anglais, les corsaires!
Vous, vous n'êtes que des *pelletas* militaires...
Allez, on n'en fait plus de ces *purs, premier brin!*
Tout s'en va... tout! La mer... elle n'est plus *marin!*
De leur temps, elle était plus salée et sauvage.
Mais, à présent, rien n'a plus de pucelage...
La mer... La mer n'est plus qu'une fille à soldats!...

— Vous, matelots, rêvez, en faisant vos cent pas
Comme dans les grands quarts... Paisible rêverie
De carcasse qui geint, de mât craqué qui crie...
— Aux pompes!...
                 — Non : fini! — Les beaux jours sont passés :
— *Adieu mon beau navire aux trois mâts pavoisés!*

. . . .

Tel qu'une vieille coque, au sec et dégréée,
Où vient encor parfois clapoter la marée :

Âme-de-mer en peine est le vieux matelot
Attendant, échoué... — quoi : la mort?

> — Non, le flot.

> Île d'Ouessant. — Avril.

LE BOSSU BITOR *

Un pauvre petit diable aussi vaillant qu'un autre,
Quatrième et dernier à bord d'un petit *cotre*...
Fier d'être matelot et de manger pour rien,
Il remplaçait le *coq*, le mousse et le chien;
Et comptait, comme ça, quarante ans de service,
Sur *le rôle* toujours inscrit comme — *novice!* —

... Un vrai bossu : cou tors et retors, très madré,
Dans sa coque il gardait sa petite influence;
Car chacun sait qu'en mer un bossu porte chance...
— Rien ne f...iche malheur comme femme ou curé!

Son nom : c'était Bitor — nom de mer et de guerre —
Il disait que c'était un tremblement de terre
Qui, jeune et fait au tour, l'avait tout démoli :
Lui, son navire et des cocotiers... au Chili.

. . . .

Le soleil est noyé. — C'est le soir — dans le port
Le navire bercé sur ses câbles, s'endort

---

* Le *bitors* est un gros fil à voile tordu en double et goudronné.

Seul; et le clapotis bas de l'eau morte et lourde,
Chuchote un gros baiser sous sa carène sourde.
Parmi les yeux du brai flottant qui luit en plaque,
Le ciel miroité semble une immense flaque.

Le long des quais déserts où grouillait un chaos
S'étend le calme plat...
      Quelques vagues échos...
Quelque novice seul, resté mélancolique,
Se chante son pays avec une musique...
De loin en loin, répond le jappement hagard,
Intermittent, d'un chien de bord qui fait le quart,
Oublié sur le pont...
     Tout le monde est à terre.
Les matelots farauds s'en sont allés — mystère! —
Faire, à grands coups de gueule et de botte... l'amour.
— Doux repos tant sué dans les labeurs du jour. —
Entendez-vous là-bas, dans les culs-de-sac louches,
Roucouler leur chanson ces tourtereaux farouches!...

— Chantez! La vie est courte et drôlement cordée!
Hâle à toi, si tu peux, une bonne bordée
A jouer de la fille, à jouer du couteau...
Roucoulez mes Amours! Qui sait : demain!... tantôt...

Tantôt, tantôt... la ronde en écrémant la ville,
Nous soulage en douceur quelque traînard tranquille
Pour le coller en vrac, léger échantillon,
Peu saignant et vainqueur, au clou. — Tradition. —

. . . .

Mais les soirs étaient doux aussi pour le Bitor,
Il était libre aussi, maître et gardien à bord...
Crevé tout de son long sur un rond de cordage,
Se sentant somnoler comme un chat... comme un sage,

Se repassant l'oreille avec ses doigts poilus,
Voluptueux, pensif, et n'en pensant pas plus,
Laissant mollir son corps dénoué de paresse,
Son petit œil vairon noyé de morbidesse!...

— Un *loustic* en passant lui caressait les os :
Il riait de son mieux et faisait le gros dos.

. . . .

Tout le monde a pourtant quelque bosse en la tête...
Bitor aussi — c'était de se payer la fête!

Et cela lui prenait, comme un commandement
De Dieu : vers la Noël, et juste une fois l'an.
Ce jour-là, sur la brune, il s'ensauvait à terre
Comme un rat dont on a cacheté le derrière...
— Tiens : Bitor disparu. — C'est son jour de sabbats
Il en a pour deux nuits : réglé comme un compas.
— C'est un sorcier pour sûr... —
                          Aucun n'aurait pu dire
Même on n'en riait plus; c'était fini de rire.

Au deuxième matin, le *bordailleur* rentrait
Sur ses jambes en pieds-de-banc-de-cabaret,
Louvoyant bord-sur-bord...
                          Morne, vers la cuisine
Il piquait droit, chantant ses vêpres ou matine,
Et jetait en pleurant ses savates au feu...
— Pourquoi — nul ne savait, et lui s'en doutait peu.
... J'y sens je ne sais quoi d'assez mélancolique,
Comme un vague fumet d'holocauste à l'antique...

C'était la fin; plus morne et plus tordu, le hère
Se reprenait hâler son bitor de misère...

. . . .

— C'est un soir, près Noël. — Le cotre est à bon port,
L'équipage au diable, et Bitor... toujours Bitor.
C'est le grand jour qu'il s'est donné pour prendre terre :
Il fait noir, il est gris. — L'or n'est qu'une chimère !
Il tient, dans un vieux bas de laine, un sac de sous...
Son pantalon à mettre et : — La terre est à nous ! —

Un pantalon jadis *cuisse-de-nymphe-émue*,
Couleur tendre à mourir !... et trop tôt devenue
Merdoie... excepté dans les plis *rose-d'amour*,
Gardiens de la couleur, gardiens du pur contour...

Enfin il s'est lavé, gratté — rude toilette !
— Ah ! c'est que ce n'est pas, non plus, tous les jours
Un cache-nez lilas lui cache les genoux,   [fête !...
— Encore un coup-de-suif ! et : La terre est à nous !
La terre : un bouchon, quoi !... — Mais Bitor se sent
                                              [riche :
D'argent, comme un bourgeois : d'amour, comme un
                                              [caniche...
Pourquoi pas le *Cap-Horn* *!... Le sérail — Pourquoi
                                              [pas...!
Syrènes du *Cap-Horn*, vous lui tendez les bras !...

.   .   .   .

Au fond de la venelle est la lanterne rouge,
Phare du matelot, *Stella maris* du bouge...
Qui va là ? — Ce n'est plus Bitor ! c'est un héros,
Un Lauzun qui se frotte aux plus gros numéros !...
C'est Triboulet tordu comme un ver par sa haine !...
Et c'est Alain Chartier, sous un baiser de reine !...

              ... *Ce bagne-lupanar*
Qu'ils nomment le Cap-Horn, *dans leur langue hâlée.*
                    (*Les Matelots*, page 159.)

Lagardère en manteau qui va se redresser!...
— Non : C'est un bienheureux honteux — Laissez passer
C'est une chair enfin que ce bout de rognure!
Un partageux qui veut son morceau de nature.
C'est une passion qui regarde en dessous
L'amour... pour le voler!... — L'amour à trente sous!

— Va donc Paillasse! Et le trousse-galant t'emporte!
Tiens : c'est là!... C'est un mur — Heurte encor!... C'es
As-tu peur! —   [la porte
                 Il écoute... Enfin : un bruit de clefs,
Le judas darde un rais : — Hô, quoi que vous voulez?
— J'ai de l'argent. — Combien es-tu? Voyons ta tête.
Bon. Gare à n'entrer qu'un; la maison est honnête;
Fais voir ton sac un peu?... Tu feras travailler?... —

Et la serrure grince, on vient d'entrebâiller;
Bitor pique une tête entre l'huys et l'hôtesse,
Comme un chien dépendu qui se rue à la messe.
— Eh, là-bas! l'enragé, quoi que tu veux ici?
Qu'on te f...iche droit, quoi? pas dégoûté! Merci!...
Quoi qui te faut, bosco?... des nymphes, des pucelles
Hop! à qui le Mayeux? Eh là-bas, les donzelles!... —

Bitor lui prit le bras : — Tiens, voici pour toi, gouine
Cache-moi quelque part... tiens : là... C'est la cuisine.
— Bon. Tu m'en conduiras une... et propre! combien?
— Tire ton sac. — Voilà. — Parole! il a du bien!...
Pour lors nous en avons du premier brin : *cossuses;*
Mais on ne t'en a pas fait exprès des *bossuses...*
Bah! la nuit tous les chats sont gris. Reste là voir,
Puisque c'est ton caprice; as pas peur, c'est tout noir.

. . . .

Une porte s'ouvrit. C'est la salle allumée.
Silhouettes grouillant à travers la fumée :

Les amateurs beuglant, ronflant, trinquant, rendus;
— Des Anglais, jouissant comme de vrais pendus,
Se cuvent, pleins de tout et de béatitude;
— Des Yankees longs, et roide-soûls par habitude,
Assis en deux, et tour à tour tirant au mur
Leur jet de jus de chique, au but, et toujours sûr;
— Des Hollandais salés, lardés de couperose;
— De blonds Norvégiens hercules de chlorose;
— Des Espagnols avec leurs figures en os;
— Des baleiniers huileux comme des cachalots;
— D'honnêtes caboteurs bien carrés d'envergures,
Calfatés de goudron sur toutes les coutures;
— Des Nègres blancs, avec des mulâtres lippus;
— Des Chinois, le chignon roulé sous un *gibus*,
Vêtus d'un frac flambant-neuf et d'un parapluie;
— Des chauffeurs venus là pour essuyer leur suie;
— Des Allemands chantant l'amour en orphéon,
Leur patrie et leur chope... avec accordéon;
— Un noble Italien, jouant avec un mousse
Qui roule deux gros yeux sous sa tignasse rousse;
— Des Grecs plats; des Bretons à tête biscornue;
— L'escouade d'un vaisseau russe, en grande tenue;
— Des Gascons adorés pour leur galant bagoût...
Et quelques renégats — écume du ragoût. —

Là, plus loin dans le fond sur les banquettes grasses,
Des novices légers s'*affalent* sur les Grâces
De corvée... Elles sont d'un gras encourageant;
Ça se paye au tonnage, on en veut pour l'argent...
Et, quand on *largue tout*, il faut que la viande
Tombe, comme un *hunier qui se déferle en bande!*

— On a des petits noms : *Chiourme, Jany-Gratis,
Bout-dehors, Fond-de-Vase, Anspeck, Garcette-à-riz.*
— C'est gréé comme il faut : satin rose et dentelle;
Ils ne trouvent jamais la mariée assez belle...

— Du velours pour frotter à cru leur cuir tanné !
Et du fard, pour torcher leur baiser boucané !...
À leurs ceintures d'or, faut ceinture dorée !
Allons ! — *Ciel moutonné, comme femme fardée*
N'a pas longue durée à ces Pachas d'un jour...
— *N'en faut du vin ! n'en faut du rouge !... et de l'amour !*

. . . .

Bitor regardait ça — comment on fait la joie —
Chauve-souris fixant les albatros en proie...
Son rêve fut secoué par une grosse voix :
— Eh, dis donc, l'oiseau bleu, c'est-y fini ton choix ?
— Oui : (Ses yeux verts vrillaient la nuit de la cuisine)
...La grosse dame en rose avec sa crinoline !...
— Ça : c'est *Mary-Saloppe*, elle a son plein et dort. —
Lui, dégainant le bas qui tenait son trésor :
— Je te dis que je veux la belle dame rose !...
— Ç'a-t'y du vice !... Ah-ça : t'es porté sur la chose ?...
Pour avec elle, alors, tu feras dix cocus,
Dix tout frais de ce soir !... Vas-y pour tes écus
Et paye en double : On va t'*amatelotter*. Monte...
— Non ici... — Dans le noir ?... allons faut pas de honte
— Je veux ici ! — Pas mèche, avec les règlements.
— Et moi je veux ! — C'est bon... mais t'endors pas
[dedans..

Ohé là-bas ! debout au quart, *Mary-Saloppe !*
— Eh, c'est pas moi *de quart !* — C'est pour prendre un
C'est rien *la corvée*... accoste : il y a gras !   [chope
— De quoi donc ? — Va, c'est un qu'a de l'or plein se
[bas
Un bossu dans un sac, qui veut pas qu'on l'évente...
— Bon : qu'y prenne son soûl, j'ai le mien ! J'ai ma pente
— Va, c'est dans la cuisine...

                    — Eh ! voyons-toi, Bichon..
T'es tortu, mais j'ai pas peur d'un tire-bouchon !

Viens... Si ça t'est égal : éclairons la chandelle?
— Non. — Je voudrais te voir, j'aime Polichinelle...
Ah je te tiens; on sait jouer Colin-Maillard!...
La matrulle ferma la porte...

         — Ah tortillard!...

. . . .

— Charivari! — Pour qui? — Quelle ronde infernale,
Quel paquet crevé roule en hurlant dans la salle?...
— Ah, peau de cervelas! ah, tu veux du chahut!
À poil! à poil, on va te *caréner* tout cru!
Ah, tu grognes, cochon! Attends, tu veux la goutte :
Tiens son ballon!... Allons, avale-moi ça... toute!
Gare au grappin, il croche! Ah! le cancre qui mord!
C'est le diable bouilli!... —

       C'était l'heureux Bitor.

— Carognes, criait-il, mollissez!... je régale...
— Carognes?... Ah, roussin! mauvais comme la gale!
Tu régales, Limonadier de la Passion?
On te régalera, va! double ration!
Pou crochard qui montais nous piquer nos *punaises!*
Cancre qui viens manger nos *peaux!*... Pas de foutaises,
Vous autres : Toi, *la mère,* apporte de là haut,
Un grand tapis de lit, en double et comme-y-faut!...
Voilà! —

   Dix bras tendus halent la couverture
— Le *tortillou* dessus!... On va la danser dure;
Saute, Paillasse! hop là!... —   •

        C'est que le matelot,
Bon enfant, est très dur quand il est *rigolot.*
Sa colère : c'est bon. — Sa joie : ah, pas de grâce!...
Les dames rigolaient...

      — Attrape : pile ou face?

Ah, le malin! quel vice! Il échoue en côté! —
...Sur sa bosse grêlaient, avec quelle gaîté!
Des bouts de corde en l'air sifflant comme couleuvres;
Les sifflets de gabier, rossignols de manœuvres,
Commandaient et rossignolaient à l'unisson...
— Tiens bon!... —

         Pelotonné, le pauvre hérisson
Volait, rebondissait, roulait. Enfin la plainte
Qu'il rendait comme un cri de poulie est éteinte...
— Tiens bon! il fait exprès... Il est dur, l'entêté!...
C'est un lapin! ça veut le jus plus pimenté :
Attends!... —

       Quelques couteaux pleuvent... *Mary-Saloppe*
D'un beau mouvement, hèle : — À moi sa place! — Tope!
Amène tout en vrac! largue!... —

              Le jouet mort
S'aplatit sur la planche et rebondit encor...

Comme après un doux rêve, il rouvrit son œil louche
Et trouble... Il essuya dans le coin de sa bouche,
Un peu d'écume avec sa chique en sang... — C'est bien;
C'est fini, matelot... Un coup de *sacré-chien!*
Ça vous remet le cœur; bois!... —

          Il prit avec peine
Tout l'argent qui restait dans son bon bas de laine
Et regardant *Mary-Saloppe* : — C'est pour toi,
Pour boire... en souvenir. — Vrai? baise-moi donc,
                          [quoi!...
Vous autres, laissez-le, grands lâches! mateluches!
C'est mon amant de cœur... on a ses coqueluches!
...Toi : file à l'embellie, en double, l'asticot ;
L'échouage est mauvais, mon pauvre saligot!... —

Son œil marécageux, larme de crocodile,
La regardait encore... — Allons, mon garçon, file! —

. . . .

C'est tout. Le lendemain, et jours suivants, à bord
Il manquait. — Le navire est parti sans Bitor. —

. . . .

Plus tard, l'eau soulevait une masse vaseuse
Dans le dock. On trouva des plaques de vareuse...
Un cadavre bossu, ballonné, démasqué
Par les crabes. Et ça fut jeté sur le quai,
Tout comme l'autre soir, sur une couverture.
Restant de crabe, encore il servit de pâture
Au rire du public, et les gamins d'enfants
Jouant au bord de l'eau noire sous le beau temps,
Sur sa bosse tapaient comme sur un tambour
Crevé...
  — Le pauvre corps avait connu l'amour!

     Marseille. — La Joliette. — Mai.

LE RENÉGAT

Ça c'est un renégat. Contumace partout :
   Pour ne rien faire, ça fait tout.
Écumé de partout et d'ailleurs; crâne et lâche,
Écumeur amphibie, à la course, à la tâche;
Esclave, flibustier, nègre, blanc, ou soldat,
Bravo : fait tout ce qui concerne tout état;
Singe, limier de femme... ou même, au besoin, femme;
Prophète *in partibus*, à tant par kilo d'âme;
Pendu, bourreau, poison, flûtiste, médecin,
Eunuque; ou mendiant, un coutelas en main...

La mort le connaît bien, mais n'en a plus envie...
Recraché par la mort, recraché par la vie,
Ça mange de l'humain, de l'or, de l'excrément,
Du plomb, de l'ambroisie... ou rien — Ce que ça sent. —

— Son nom? — Il a changé de peau, comme chemise...
Dans toutes langues c'est : Ignace ou Cydalyse,
Todos los santos... Mais il ne porte plus ça;
Il a bien effacé son *T.F.* de forçat!...

— Qui l'a poussé... l'amour? — Il a jeté sa gourme!
Il a tout violé : potence et garde-chiourme.
— La haine? — Non. — Le vol? — Il a refusé mieux.
— Coup de barre du vice? — Il n'est pas vicieux;
Non... dans le ventre il a de la fille-de-joie,
C'est un tempérament... un artiste de proie.

. . . .

— Au diable même il n'a pas fait miséricorde.
— Hale encore! — Il a tout pourri jusqu'à la corde,
Il a tué toute *bête*, éreinté tous les coups...

Pur, à force d'avoir purgé tous les dégoûts.

Baléares.

AURORA

APPAREILLAGE D'UN BRICK CORSAIRE

> Quand l'on fut toujours vertueux
> L'on aime à voir lever l'aurore...

Cent vingt *corsairiens*, gens de corde et de sac,
À bord de la *Mary-Gratis*, ont mis leur sac.
— Il est temps, les enfants! on a roulé sa bosse..
Hisse! — C'est le grand-foc qui va payer la noce.
Étarque! — Leur argent les fasse tous cocus!...
La drisse du grand-foc leur rendra leurs écus...
— Hisse hoé!... *C'est pas tant le gendarm' qué jé r'grette!*
— Hisse hoà!... *C'est pas ça! Naviguons, ma brunette!*

Va donc *Mary-Gratis*, brick écumeur d'Anglais!
Vire à pic et dérape!... — Un coquin de vent frais
Largue, en vrai matelot, les voiles de l'aurore;
L'écho des cabarets de terre beugle encore...
Eux répondent en chœur, perchés dans les huniers,
Comme des colibris au haut des cocotiers :
            « *Jusqu'au revoir, la belle,*
            « *Bientôt nous reviendrons...* »

Ils ont bien passé là quatre nuits de liesse,
Moitié sous le comptoir et moitié sur l'hôtesse...
            « *...Tâchez d'être fidèle,*
            « *Nous serons bons garçons...* »

— Évente les huniers!... *C'est pas ça qué jé r'grette...*
— Brasse et borde partout!... *Naviguons, ma brunette!*

— *Adieu, séjour de guigne !...* Et roule, et cours bon
[bord...
Va, la *Mary-Gratis !* — au nord-est quart de nord. —

...Et la *Mary-Gratis*, en flibustant l'écume,
Bordant le lit du vent se gîte dans la brume.
Et le grand flot du large en sursaut réveillé
À terre va bâiller, s'étirant sur le roc :

   Roul' ta bosse, tout est payé
   Hiss' le grand foc !

. . . .

Ils cinglent déjà loin. Et, couvrant leur sillage,
La houle qui roulait leur chanson sur la plage
Murmure sourdement, revenant sur ses pas :
— Tout est payé, la belle !... ils ne reviendront pas.

LE NOVICE EN PARTANCE
ET SENTIMENTAL

> *À la déçente des marins ches*
> *Marijane serre à boire & à manger*
> *couche à pieds et à cheval.*
>
> **DEBIT.**

Le temps était si beau, la mer était si belle...
  Qu'on dirait qu'y en avait pas.
Je promenais, un coup encore, ma Donzelle,
  À terre, tous deux, sous mon bras.

C'était donc, pour du coup, la dernière journée.
  Comme-ça : ça m'était égal...

Ça n'en était pas moins la suprême tournée
    Et j'étais sensitif pas mal.

...Tous les ans, plus ou moins, je relâchais près d'elle
    — Un mois de mouillage à passer —
Et je la relâchais tout fraîchement fidèle...
    Et toujours à recommencer.

Donc, quand la barque était à l'ancre, sans malice
    J'accostais, novice vainqueur,
Pour mouiller un pied d'ancre, Espérance propice!...
    Un pied d'ancre dans son cœur!

Elle donnait la main à manger mon décompte
    Et mes avances à manger.
Car, pour un *mathurin* * faraud, c'est une honte :
    De ne pas rembarquer léger.

J'emportais ses cheveux, pour en cas de naufrage,
    Et ses adieux au long-cours.
Et je lui rapportais des objets de sauvage,
    Que le douanier saisit toujours.

Je me l'imaginais pendant les traversées,
    Moi-même et naturellement.
Je m'en imaginais d'autres aussi — censées
    Elle — dans mon tempérament.

Mon nom mâle à son nom femelle se jumelle,
    Bout-à-bout et par à peu-près :
Moi je suis Jean-Marie et c'est Mary-Jane elle...
    Elle ni moi *n'ons* fait exprès.

...Notre chien de métier est chose assez jolie
    Pour un leste et gueusard amant;

* *Mathurin: Dumanet* maritime.

Toujours pour démarrer on trouve l'embellie :
  — Un pleur... Et saille de l'avant !

Et hisse le grand foc ! — la loi me le commande. —
  Largue les *garcettes* *, sans gant !
Étarque à bloc ! — L'homme est libre et la mer est
             [grande —
  La femme : un sillage !... Et bon vent ! —

On a toujours, puisque c'est dans notre nature,
  — Coulant en douceur, comme tout —
Filé son câble par le bout, sans *fignolure*...
  Filé son câble par le bout !

— File !... La passion n'est jamais défrisée.
  — Évente tout et pique au nord !
Borde la brigantine et porte à la risée !...
  — On prend sa capote et s'endort...

— Et file le parfait amour ! à ma manière,
  — Ce n'est pas la bonne : tant mieux !
C'est encore la meilleure et dernière et première...
  As pas peur d'échouer, mon vieux !

Ah ! la mer et l'amour ! — On sait — c'est variable...
  Aujourd'hui : zéphyrs et houris !
Et demain... c'est un grain : Vente la peau du diable !
  Debout au quart ! croche des ris !...

— Nous fesons le bonheur d'un tas de malheureuses,
  Gabiers volants de Cupidon !...
Et la lame de l'ouest nous rince les pleureuses...
  — Encore une ! et lave le pont !

 . . . .

 * *Garcettes.* — Bouts de cordes qui servent à serrer les voiles

Comme ça moi je suis. Elle, c'était la rose
   D'amour, et du débit d'ici...
Nous cherchions tous deux à nous dire quelque chose
   De triste. — C'est plus propre aussi. —

...Elle ne disait rien — Moi : pas plus. — Et sans doute,
   La chose aurait duré longtemps...
Quand elle dit, d'un coup, au milieu de la route :
   — Ah Jésus! comme il fait beau temps. —

J'y pensais justement, et peut-être avant elle...
   Comme avec un même cœur, quoi!
Donc, je dis à mon tour : — Oh! oui, mademoiselle,
   Oui... Les vents halent le *noroî*...

— Ah! pour où partez-vous? — Ah! pour notre voyage...
   — Des pays mauvais? — Pas meilleurs...
— Pourquoi? — Pour faire un tour, démoisir l'équipage..
   Pour quelque part, et pas ailleurs :

New-York... Saint-Malo... — Que partout Dieu vous
           [garde!
   — Oh!... Le saint homme y peut s'asseoir;
Ça c'est notre métier à nous, ça nous regarde :
   Éveillatifs, l'œil au bossoir!

— Oh! ne blasphémez pas! Que la Vierge vous veille!
   — Oui : que je vous rapporte encor
Une bonne Vierge à la façon de Marseille :
   Pieds, mains, et tête et tout, en or?...

— Votre navire est-il bon pour la mer lointaine?
   Ah! pour ça, je ne sais pas trop,
Mademoiselle; c'est l'affaire au capitaine,
   Pas à vous, ni moi matelot.

— Mais le navire a-t-il un beau nom de baptême?
      — C'est un *brick*... pour son petit nom;
Un espèce de nom de dieu... toujours le même,
      Ou de sa moitié : *Junon*...

— Je tremblerai pour vous, quand la mer se tourmente...
      — Tiens bon, va! la coque a deux bords...
On sait patiner ça! comme on fait d'une amante...
      — Mais les mauvais maux?... — Oh! des sorts!

— Je tremble aussi que vous n'oubliiez mes tendresses
      Parmi vos reines de là-bas...
— Beaux cadavres de femme : oui! mais noirs et sin-
      Et puis : voyez, là, sur mon bras :   [gesses...

C'est l'*Hôtel de l'Hymen, dont deux cœurs en gargousse*
      Tatoués à perpétuité!
Et *la petite bonne-femme en froc de mousse:*
      C'est vous, en portrait... pas flatté.

— Pour lors, c'est donc demain que vous quittez?... —
                     [Peut-être.
      — Déjà!... — Peut-être après-demain.
— Regardez en appareillant, vers ma fenêtre :
      On fera bonjour de la main.

— C'est bon. Jusqu'au retour de n'importe où, m'amie...
      Du Tropique ou Noukahiva.
Tâchez d'être fidèle, et moi : sans avarie...
      Une autre fois mieux! ... Adieu-vat!

                           Brest-Recouvrance.

LA GOUTTE

Sous un seul hunier — le dernier — à la cape,
Le navire était soûl; l'eau sur nous faisait nappe.
— Aux pompes, faillis chiens! — L'équipage fit —
                                                    [non. —

— Le hunier! le hunier!...
                              C'est un coup de canon,
Un grand froufrou de soie à travers la tourmente.

— Le hunier emporté! — C'est la fin. Quelqu'un
                                            [chante. —
— Tais-toi, Lascar! — Tantôt. — Le hunier emporté!...
— Pare le foc, quelqu'un de bonne volonté!...
— Moi. — Toi, lascar? — Je chantais ça, moi,
                                            [capitaine.
— Va. — Non : la goutte avant? — Non, après. — Pas
La grande tasse est là pour un coup... —   [la peine :
                                      Pour braver,

Quoi! mourir pour mourir et ne rien sauver...
— Fais comme tu pourras : Coupe. Et gare à la drisse.
— Merci —
              D'un bond de singe il saute, de la lisse,
Sur le beaupré noyé, dans les agrès pendants.
— Bravo! —
              Nous regardions, la mort entre les dents.

— Garçons, tous à la drisse! à nous! pare l'écoute!...
Le coup de grâce enfin...) — Hisse! barre au vent toute!
Hurrah! nous abattons!... —
                              Et le foc déferlé
Redresse en un clin d'œil le navire acculé.

C'est le salut à nous qui bat dans cette loque
Fuyant devant le temps! Encor paré la coque!
— Hurrah pour le lascar! — Le lascar?...
                                        — À la mer.
— Disparu? — Disparu — Bon, ce n'est pas trop cher.

. . . .

— Ouf! c'est fait — Toi, Lascar! — moi, Lascar,
                                        [capitaine.
La lame m'a rincé de dessus la poulaine,
Le même coup de mer m'a ramené gratis...
Allons, mes poux n'auront pas besoin d'onguent-gris.

— Accoste, tout le monde! Et toi, Lascar, écoute :
Nous te devons la vie... — Après? — Pour ça? ... — La
                                        [goutte
Mais c'était pas pour ça, n'allez pas croire, au moins..
— Viens m'embrasser! — Attrape à torcher les grouins
J'suis pas beau, capitain', mais, soit dit en famille,
Je vous ai fait plaisir plus qu'une belle fille?...

. . . .

Le capitaine mit, ce jour, sur son rapport :
— *Gros temps. Laissé porter. Rien de neuf à bord.* —

                                        À bord.

BAMBINE

Tu dors sous les panais, capitaine Bambine
Du remorqueur havrais *l'Aimable Proserpine,*

Qui, vingt-huit ans, fis voir au Parisien béant,
Pour vingt sous : *L'OCÉAN ! L'OCÉAN !!*

                              [*L'OCÉAN !!!*

Train de plaisir au large. — On double la jetée —
En rade : *y a-z-un peu d'gomme*... — Une mer démontée —
Et *la cargaison* râle : — Ah! commandant! assez!
Assez, pour notre argent, de tempête! cessez! —

Bambine ne dit mot. Un bon coup de mer passe
Sur les infortunés : — Ah, capitaine! grâce!...
— C'est bon... si ces messieurs et dam's ont leur

                              [content?...
C'est pas pour mon plaisir, moi, v's'êtes mon charge-
Pare à virer... —   [ment :

            Malheur! le coquin de navire
Donne en grand sur un banc... — Stoppe! — Fini de
                                        [rire...
Et talonne à tout rompre, et roule bord sur bord
Balayé par la lame : — À la fin, c'est trop fort!... —

Et la *cargaison* rend des cris... rend tout! rend l'âme.
Bambine fait les cent pas.
                        Un ange, une femme
Le prend : — C'est ennuyeux ça, conducteur! cessez!
Faites-moi mettre à terre, à la fin! c'est assez! —

Bambine l'élongeant d'un long regard austère :
— À terre! q'vous avez dit?... vous avez dit : à terre...
À terre! pas dégoûtaî!... Moi-z'aussi, foi d'mat'lot,
Voudrais ben!... attendu q'si t'-ta-l'heure l'prim'flot
Ne soulag' pas la coque : vous et moi, mes princesses
Bêrons ben, sauf respect, la lavure éd'nos fesses! —

Il reprit ses cent pas, tout à fait mal bordé :
— À terre!... j'crâis f...tre ben! Les femm's!... pas
[dégoûté

Havre-de-Grâce. La Hève. — Août.

CAP'TAINE LEDOUX

À LA BONNE RELÂCHE DES CABOTEURS
VEUVE-CAP'TAINE GALMICHE
CHAUDIÈRE POUR LES MARINS — COOK-HOUSE
BRANDY — LIQŒUR
— POULIAGE —

Tiens, c'est l'cap'tain Ledoux!... et quel bon vent vou
[pousse
— Un *bon frais*, m'am' Galmiche, à fair' plier mon pouc
R'lâchés en avarie, en rade, avec mon *lougre*...
— Auguss'! on se hiss' pas comm' ça desur les g'noux
Des cap'tain's!... — Eh, laissez, l'chérubin! c'est à vous
— Mon portrait craché hein?... — Ah...
Ah! l'vilain p'tit bougr

Saint-Mâlo-de-l'Isle.

LETTRE DU MEXIQUE

La Vera-Cruz, 10 février.

« Vous m'avez confié le petit. — Il est mort.
Et plus d'un camarade avec, pauvre cher être.
L'équipage... y en a plus. Il reviendra peut-être
    Quelques-uns de nous. — C'est le sort —

« Rien n'est beau comme ça — Matelot — pour un
                             [homme;
Tout le monde en voudrait à terre — C'est bien sûr.
Sans le désagrément. Rien que ça : Voyez comme
    Déjà l'apprentissage est dur.

« Je pleure en marquant ça, moi, vieux *Frère-la-côte*.
J'aurais donné ma peau joliment sans façon
Pour vous le renvoyer... Moi, ce n'est pas ma faute :
    Ce mal-là n'a pas de raison.

« La fièvre est ici comme Mars en carême.
Au cimetière on va toucher sa ration.
Le zouave a nommé ça — Parisien quand-même —
    Le jardin d'acclimatation.

« Consolez-vous. Le monde y crève comme mouches.
...J'ai trouvé dans son sac des souvenirs de cœur :
Un portrait de fille, et deux petites babouches,
    Et : marqué — *Cadeau pour ma sœur.* —

« Il fait dire à *maman :* qu'il a fait sa prière.
Au père : qu'il serait mieux mort dans un combat.

Deux anges étaient là sur son heure dernière :
Un matelot. Un vieux soldat. »

Toulon, 24 mai.

LE MOUSSE

Mousse : il est donc marin, ton père?...
— Pêcheur. Perdu depuis longtemps.
En découchant d'avec ma mère,
Il a couché dans les brisants...

Maman lui garde au cimetière
Une tombe — et rien dedans —
C'est moi son mari sur la terre,
Pour gagner du pain aux enfants.

Deux petits. — Alors, sur la plage,
Rien n'est revenu du naufrage?...
— Son garde-pipe et son sabot...

La mère pleure, le dimanche,
Pour repos... Moi : j'ai ma revanche
Quand je serai grand — matelot! —

Baie des Trépassés.

AU VIEUX ROSCOFF

BERCEUSE EN NORD-OUEST MINEUR

Trou de flibustiers, vieux nid
À corsaires ! — dans la tourmente,
Dors ton bon somme de granit
Sur tes caves que le flot hante...

Ronfle à la mer, ronfle à la brise ;
Ta corne dans la brume grise,
Ton pied marin dans les brisans...
— Dors : tu peux fermer ton œil borgne
Ouvert sur le large, et qui lorgne
Les Anglais, depuis trois cents ans.

— Dors, vieille coque bien ancrée ;
Les margats et les cormorans
Les margats et les cormorans
Tes grands poètes d'ouragans
Viendront chanter à la marée...

— Dors, vieille fille-à-matelots ;
Plus ne te soûleront ces flots
Qui te faisaient une ceinture
Dorée, aux nuits rouges de vin,
De sang, de feu ! — Dors... Sur ton sein
L'or ne fondra plus en friture.

— Où sont les noms de tes amants...
— La mer et la gloire étaient folles ! —
Noms de lascars ! noms de géants !
Crachés des gueules d'espingoles...

Où battaient-ils, ces pavillons,
Écharpant ton ciel en haillons!...
— Dors au ciel de plomb sur tes dunes...
Dors : plus ne viendront ricocher
Les boulets morts, sur ton clocher
Criblé — comme un prunier — de prunes...

— Dors : sous les noires cheminées,
Écoute rêver tes enfants,
Mousses de quatre-vingt-dix ans,
Épaves des belles années...

. . . .

Il dort ton bon canon de fer,
À plat-ventre aussi dans sa souille.
Grêlé par les lunes d'hyver...
Il dort son lourd sommeil de rouille,

— Va : ronfle au vent, vieux ronfleur,
Tiens toujours ta gueule enragée
Braquée à l'Anglais!... et chargée
De maigre jonc-marin en fleur

Roscoff. — Décembre.

LE DOUANIER

ÉLÉGIE DE CORPS-DE-GARDE
À LA MÉMOIRE DES DOUANIERS
GARDES-CÔTES MIS À LA RETRAITE
LE 30 NOVEMBRE 1869

Quoi, l'on te fend l'oreille! est-il vrai qu'on te rogne,
Douanier?... Tu vas mourir et pourrir sans façon,
Gablou?... — Non! car je vais t'empailler — Qui qu'en
Mais, sans te déflorer : avec une chanson;   [grogne! —

Et te coller ici, boucané de mes rimes,
Comme les varechs secs des herbiers maritimes.

— Ange gardien culotté par les brises,
   Pénate des falaises grises,
   Vieux oiseau salé du bon Dieu
   Qui flânes dans la tempête,
   Sans auréole à la tête,
   Sans aile à ton habit bleu!...

   Je t'aime, modeste amphibie
   Et ta bonne trogne d'amour,
   Anémone de mer fourbie
   Épanouie à mon *bonjour!*...
   Et j'aime ton *bonjour*, brave homme,
   Roucoulé dans ton estomac,
   Tout gargarisé de rogomme
   Et tanné de jus de tabac!
   J'aime ton petit corps de garde
   Haut perché comme un goéland
            Qui regarde
   Dans les quatre aires-de-vent.

   Là, rat de mer solitaire,
   Bien loin du contrebandier
   Tu rumines ta chimère :
   — Les galons de brigadier! —

   Puis un petit coup-de-blague
   Doux comme un demi-sommeil...
   Et puis : bâiller à la vague,
   Philosopher au soleil...

   La nuit, quand fait la rafale
   La chair-de-poule au flot pâle,
   Hululant dans le roc noir...
   Se promène une ombre errante;
   Soudain : une pipe ardente
   Rutile... — Ah! douanier, bonsoir.

. . . .

— Tout se trouvait en toi, bonne femme cynique :
Brantôme, Anacréon, Barême et le Portique ;
Homère-troubadour, vieille Muse qui chique !
Poète trop senti pour être poétique !...
— Tout : sorcier, sage-femme et briquet phosphorique,
Rose-des-vents, sacré gui, lierre bacchique,
Thermomètre à l'alcool, coucou droit à musique,
Oracle, écho, docteur, almanach, empirique,
Curé voltairien, huître politique...
— Sphinx d'assiette d'un sou, ton douanier souvenir
Lisait le bordereau même de l'avenir !

— Tu connaissais Phœbé, Phœbus, et les marées...
Les amarres d'amour sur les grèves ancrées
Sous le vent des rochers ; et tout amant fraudeur
Sous ta coupe passait le colis de son cœur...
— Tu reniflais le temps, quinze jours à l'avance,
Et les noces : neuf mois... et l'état de la France ;
Tu savais tous les noms, les cancans d'alentour,
Et de terre et de mer, et de nuit et de jour !...

Je te disais ce que je savais écrire...
Et nous nous comprenions — tu ne savais pas lire —
Mais ta philosophie était un puits profond
Où j'aimais à cracher, rêveur... pour faire un rond.

. . . .

Un jour — ce fut ton jour ! — Je te vis redoutable :
　　Sous ton bras fiévreux cahotait la table
　　Où nageait, épars, du papier timbré ;
　　La plume crachait dans tes mains alertes
　　Et sur ton front noir, tes lunettes vertes
　　Sillonnaient d'éclairs ton nez cabré...

— Contre deux rasoirs d'Albion perfide,
Nous verbalisions! tu verbalisais!
« *Plus les deux susdits... dont un baril vide...* »
J'avais composé, tu repolissais...

. . . .

— Comme un songe passé, douanier, ces jours de fête!
Fais valoir maintenant tes droits à la retraite...
— Brigadier, brigadier, vous n'aurez plus raison!...
— Plus de longue journée à gratter l'horizon,
Plus de sieste au soleil, plus de pipe à la lune,
Plus de nuit à l'affût des lapins sur la dune...
Plus rien, quoi!... que *la goutte* et le ressouvenir...
— Ah! pourtant : tout cela c'est bien vieux pour finir!

— Va, lézard démodé! Faut passer, mon vieux type;
Il faut te voir t'éteindre et s'éteindre ta pipe...
Passer, ta pipe et toi, parmi les vieux culots :
L'administration meurt, faute de ballots!...

Telle que, sans rosée, une sombre pervenche
Se replie, en closant sa corolle qui penche...
Telle, sans contrebande, on voit se replier
La capote gris-bleu, corolle du douanier!...

Quel sera désormais le terme du problème :
— L'ennui contemplatif divisé par lui-même? —
Quel balancier rêveur fera donc les cent pas,
Poète, sans savoir qu'il ne s'en doute pas...
Qui? sinon le douanier. — Hélas, qu'on me le rende!
Dussé-je pour cela faire la contrebande...

. . . .

— Non : fini!... réformé! Va, l'oreille fendue,
Rendre au gouvernement ta pauvre âme rendue...

Rends ton gabion, rends tes *Procès-verbaux divers;*
Rends ton bancal, rends tout, rends ta chique!...

                           Et mes vers.

                    Roscoff. — Novembre.

LE NAUFRAGEUR

Si ce n'était pas vrai — Que je crève!

. . . .

     J'ai vu dans mes yeux, dans mon rêve,
     La Notre-Dame des brisans
     Qui jetait à ses pauvres gens
     Un gros navire sur leur grève...
     Sur la grève des Kerlouans
     Aussi goélands que les goélands.

Le sort est dans l'eau : le cormoran nage,
Le vent bat en côte, et c'est le *Mois Noir*...
Oh! moi je sens bien de loin le naufrage!
Moi j'entends là-haut chasser le nuage!
Moi je vois profond dans la nuit, sans voir!

     Moi je siffle quand la mer gronde,
     Oiseau de malheur à poil roux!...
     J'ai promis aux douaniers de ronde,
     Leur part, pour rester dans leurs trous...
     Que je sois seul! — oiseau d'épave
     Sur les brisans que la mer lave...

. . . .
     Oiseau de malheur à poil roux!

     — Et qu'il vente la peau du diable!
     Je sens ça déjà sous ma peau.

La mer moutonne!... Ho, mon troupeau!
— C'est moi le berger, sur le sable...

L'enfer fait l'amour. — Je ris comme un mort —
Sautez sous le *Hû!*... le *Hû* des rafales,
Sur les *noirs taureaux sourds, blanches cavales!*
Votre écume à moi, *cavales d'Armor!*
Et vos crins au vent!... — Je ris comme un mort —

Mon père était un vieux *saltin* *,
Ma mère une vieille *morgate* **...
Une nuit, sonna le tocsin :
— Vite à la côte : une frégate! —
...Et dans la nuit, jusqu'au matin,
Ils ont tout rincé la frégate...

— Mais il dort mort le vieux *saltin,*
Et morte la vieille *morgate...*
Là-haut, dans le paradis saint,
Ils n'ont plus besoin de frégate.

Banc de Kerlouan. — Novembre.

À MON COTRE LE NÉGRIER

VENDU SUR L'AIR DE
« ADIEU, MON BEAU NAVIRE!... »

Allons file, mon cotre!
Adieu mon Négrier.
Va, file aux mains d'un autre
Qui pourra te noyer...

* *Saltin:* pilleur d'épaves.
** *Morgate:* pieuvre.

Nous n'irons plus sur la vague lascive
    Nous gîter en fringuant!
Plus nous n'irons à la molle dérive
    Nous rouler en rêvant...

    — Adieu, rouleur de cotre,
    Roule mon Négrier,
    Sous les pieds plats de l'autre
    Que tu pourras noyer.

Va! nous n'irons plus rouler notre bosse...
    Tu cascadais fourbu;
Les coups de mer arrosaient notre noce,
    Dis : en avons-nous bu!...

    — Et va, noceur de cotre!
    Noce, mon Négrier!
    Que sur ton pont se vautre
    Un noceur perruquier.

...Et, tous les crins au vent, nos chaloupeuses!
    Ces vierges à sabords!
Te patinant dans nos courses mousseuses!...
    Ah! c'étaient les bons bords!...

    — Va, pourfendeur de lames,
    Pourfendre, ô Négrier!
    L'estomac à des dames
    Qui *pairont leur loyer.*

...Et sur le dos rapide de la houle,
    Sur le roc au dos dur,
À toc de toile allait ta coque soûle...
    — Mais toujours d'un œil sûr! —

    — Va te soûler, mon cotre :
    À crever! Négrier.

Et montre bien à l'autre
Qu'on savait louvoyer.

...Il faisait beau quand nous mettions en panne,
Vent-dedans vent-dessus;
Comme on pêchait!... Va : je suis dans la panne
Où l'on ne pêche plus.

— La mer jolie est belle
Et les brisans sont blancs...
Penché, trempe ton aile
Avec les goëlands!...

Et cingle encor de ton fin mât-de-flèche,
Le ciel qui court au loin.
Va! qu'en glissant, l'algue profonde lèche
Ton ventre de marsouin!

— Va, sans moi, sans ton âme;
Et saille de l'avant!...
Plus ne battras ma flamme
Qui chicanait le vent.

Que la risée enfle encor ta *Fortune* *
En bandant tes agrès!
— Moi : plus d'agrès, de lest, ni de fortune...
Ni de risée après!

...Va-t'en, humant la brume
Sans moi, prendre le frais,
Sur la vague de plume...
Va — Moi j'ai trop de frais. —

Légère encor est pour toi la rafale
Qui frisotte la mer!
Va... — Pour moi seul, rafalé, la rafale
Soulève un flot amer!...

Large voile de beau temps.

— Dans ton âme de cotre,
      Pense à ton matelot
Quand, d'un bord ou de l'autre,
      Remontera le flot...

— Tu peux encor échouer ta carène
      Sur l'humide varech;·
Mais moi j'échoue aux côtes de la gêne,
      Faute de fond — à sec —

Roscoff. — Août.

LE PHARE

Phœbus, de mauvais poil, se couche.
      Droit sur l'écueil :
S'allume le grand borgne louche,
      Clignant de l'œil.

Debout, Priape d'ouragan,
      En vain le lèche
La lame de rut écumant...
      — Il tient sa mèche.

Il se mate et rit de sa rage,
      Bandant à bloc;
Fier bout de chandelle sauvage
      Plantée au roc!

— En vain, sur sa tête chenue,
      D'amont, d'aval,
Caracole et s'abat la nue,
      Comme un cheval...

— Il tient le lampion au naufrage,
        Tout en rêvant,
Casse la mer, crève l'orage
        Siffle le vent,

Ronfle et vibre comme une trompe,
        — Diapason
D'Éole — Il se peut bien qu'il rompe,
        Mais plier — non. —

Sait-il son Musset : À la brune
        Il est jauni
Et pose juste pour la lune
        Comme un grand I.

...Là, gît debout une vestale
        — C'est l'allumoir —
Vierge et martyre (sexe mâle)
        — C'est l'éteignoir. —

Comme un lézard à l'eau-de-vie
        Dans un bocal,
Il tirebouchonne sa vie
        Dans ce fanal.

Est-il philosophe ou poète?...
        — Il n'en sait rien —
Lunatique ou simplement bête?...
        — Ça se vaut bien —

Demandez-lui donc s'il chérit
        Sa solitude?
— S'il parle, il répondra qu'il vit...
        Par habitude.

. . . .

— Oh! que je voudrais là, Madame,
      Tous deux!... — veux-tu? —
Vivre, dent pour œil, corps pour âme!...
      — Rêve pointu. —

Vous percheriez dans la lanterne :
      Je monterais...
— Et moi : ci-gît, dans la citerne...
      — Tu descendrais —

Dans le boyau de l'édifice
      Nous promenant,
Et, dans *le feu* — sans artifice —
      Nous rencontrant.

Joli ramonage... et bizarre,
      Du haut en bas!
— Entre nous... l'érection du phare
      N'y tiendrait pas...

                    Les Triagots. — Mai.

LA FIN

Oh! combien de marins, combien de capitaines
Qui sont partis joyeux pour des courses lointaines
Dans ce morne horizon se sont évanouis!...
. . . .

Combien de patrons morts avec leurs équipages!
L'Océan, de leur vie a pris toutes les pages,
Et, d'un souffle, il a tout dispersé sur les flots,
Nul ne saura leur fin dans l'abîme plongée...
. . . .

> *Nul ne saura leurs noms, pas même l'humble pierre,*
> *Dans l'étroit cimetière où l'écho nous répond,*
> *Pas même un saule vert qui s'effeuille à l'automne,*
> *Pas même la chanson plaintive et monotone*
> *D'un aveugle qui chante à l'angle d'un vieux pont.*
>
> v. HUGO, *Oceano nox.*

h bien, tous ces marins — matelots, capitaines,
ans leur grand Océan à jamais engloutis...
artis insoucieux pour leurs courses lointaines
ont morts — absolument comme ils étaient partis.

llons ! c'est leur métier ; ils sont morts dans leurs bottes !
eur *boujaron* * au cœur, tout vifs dans leurs capotes...
- *Morts...* Merci : la *Camarde* a pas le pied marin ;
u'elle couche avec vous : c'est votre bonne femme...
- Eux, allons donc : Entiers ! enlevés par la lame !
  Ou perdus dans un grain...

n grain... est-ce la mort ça ? la basse voilure
attant à travers l'eau ! — Ça se dit *encombrer...*
n coup de mer plombé, puis la haute mâture
ouettant les flots ras — et ça se dit *sombrer.*

Sombrer — Sondez ce mot. Votre *mort* est bien pâle
t pas grand'chose à bord, sous la lourde rafale...
as grand'chose devant le grand sourire amer
u matelot qui lutte. — Allons donc, de la place ! —
ieux fantôme éventé, la Mort change de face :
  La Mer !...

yés ? — Eh allons donc ! Les *noyés* sont d'eau douce.
Coulés ! corps et biens ! Et, jusqu'au petit mousse,
défi dans les yeux, dans les dents le juron !

* *Boujaron :* ration d'eau-de-vie.

À l'écume crachant une chique râlée,
Buvant sans hauts-de-cœur *la grand'tasse salée*...
    — Comme ils ont bu leur boujaron. —

. . . .

— Pas de fond de six pieds, ni rats de cimetière :
Eux ils vont aux requins! L'âme d'un matelot
Au lieu de suinter dans vos pommes de terre,
    Respire à chaque flot.

— Voyez à l'horizon se soulever la houle;
    On dirait le ventre amoureux
D'une fille de joie en rut, à moitié soûle...
    Ils sont là! — La houle a du creux. —

— Écoutez, écoutez la tourmente qui beugle!...
C'est leur anniversaire — Il revient bien souvent —
Ô poète, gardez pour vous vos chants d'aveugle;
— Eux : le *De profundis* que leur corne le vent.

...Qu'ils roulent infinis dans les espaces vierges!...
    Qu'ils roulent verts et nus,
Sans clous et sans sapin, sans couvercle, sans cierges.
— Laissez-les donc rouler, *terriens* parvenus!

             À bord. — 11 février.

Rondels pour après

SONNET POSTHUME

Dors : ce lit est le tien... Tu n'iras plus au nôtre.
— Qui dort dîne. — À tes dents viendra tout seul le foin.
Dors : on t'aimera bien — L'aimé c'est toujours l'Autre...
Rêve : La plus aimée est toujours la plus loin...

Dors : on t'appellera beau décrocheur d'étoiles !
Chevaucheur de rayons !... quand il fera bien noir ;
Et l'ange du plafond, maigre araignée, au soir,
— Espoir — sur ton front vide ira filer ses toiles.

Museleur de voilette ! un baiser sous le voile
T'attend... on ne sait où : ferme les yeux pour voir.
Ris : Les premiers honneurs t'attendent sous le poêle

On cassera ton nez d'un bon coup d'encensoir,
Doux fumet !... pour la trogne en fleur, pleine de moelle
D'un sacristain très-bien, avec son éteignoir.

RONDEL

Il fait noir, enfant, voleur d'étincelles !
Il n'est plus de nuits, il n'est plus de jours ;
Dors... en attendant venir toutes celles
Qui disaient : Jamais ! Qui disaient : Toujours !

Entends-tu leurs pas ?... Ils ne sont pas lourds :
Oh ! les pieds légers ! — l'Amour a des ailes...
Il fait noir, enfant, voleur d'étincelles !

Entends-tu leurs voix ?... Les caveaux sont sourds.
Dors : Il pèse peu, ton faix d'immortelles ;
Ils ne viendront pas, tes amis les ours,
Jeter leur pavé sur tes demoiselles...
Il fait noir, enfant, voleur d'étincelles

DO, L'ENFANT, DO...

Buona vespre ! Dors : Ton bout de cierge...
On l'a posé là, puis est on parti.
Tu n'auras pas peur seul, pauvre petit ?...
C'est le chandelier de ton lit d'auberge.

Du fesse-cahier ne crains plus la verge,
Va !... De t'éveiller point n'est si hardi.
Buona sera ! Dors : Ton bout de cierge...

Est mort, — Il n'est plus, ici, de concierge :
Seuls, le vent du nord, le vent du midi
Viendront balancer un fil-de-la-Vierge.
Chut ! Pour les pieds-plats, ton sol est maudit.
— Buona notte ! Dors : Ton bout de cierge...

MIRLITON

Dors d'amour, méchant ferreur de cigales !
Dans le chiendent qui te couvrira
La cigale aussi pour toi chantera,
Joyeuse, avec ses petites cymbales.

La rosée aura des pleurs matinales ;
Et le muguet blanc fait un joli drap...
Dors d'amour, méchant ferreur de cigales.

Pleureuses en troupeau passeront les rafales...

La Muse camarde ici posera,
Sur ta bouche noire encore elle aura
Ces rimes qui vont aux moelles des pâles...
Dors d'amour, méchant ferreur de cigales.

PETIT MORT POUR RIRE

Va vite, léger peigneur de comètes !
Les herbes au vent seront tes cheveux ;
De ton œil béant jailliront les feux
Follets, prisonniers dans les pauvres têtes...

Les fleurs de tombeau qu'on nomme Amourettes
Foisonneront plein ton rire terreux...
Et les myosotis, ces fleurs d'oubliettes...

Ne fais pas le lourd : cercueils de poètes
Pour les croque-morts sont de simples jeux,
Boîtes à violon qui sonnent le creux...
Ils te croiront mort — Les bourgeois sont bêtes —
Va vite, léger peigneur de comètes !

MALE-FLEURETTE

Ici reviendra la fleurette blême
Dont les renouveaux sont toujours passés...
Dans les cœurs ouverts, sur les os tassés,
Une folle brise, un beau jour, la sème...

On crache dessus ; on l'imite même,
Pour en effrayer les gens très-sensés...
Ici reviendra la fleurette blême.

— Oh ! ne craignez pas son humble anathème
Pour vos ventres mûrs, Cucurbitacés !
Elle connaît bien tous ses trépassés !
Et, quand elle tue, elle sait qu'on l'aime...
— C'est la male-fleur, la fleur de bohème. —

Ici reviendra la fleurette blême.

À MARCELLE

LA CIGALE ET LE POÈTE

Le poète ayant chanté,
      Déchanté,
Vit sa Muse, presque bue,
Rouler en bas de sa nue
De carton, sur des lambeaux
De papiers et d'oripeaux.
Il alla coller sa mine
Aux carreaux de sa voisine,
Pour lui peindre ses regrets
D'avoir fait — Oh : pas exprès ! —
Son honteux monstre de livre !...
— « Mais : vous étiez donc bien ivre?
— Ivre de vous !... Est-ce mal?
— Écrivain public banal !
Qui pouvait si bien le dire...
Et, si bien ne pas l'écrire !
— J'y pensais, en revenant...
On n'est pas parfait, Marcelle...
— Oh ! c'est tout comme, dit-elle,
Si vous chantiez, maintenant ! »

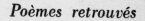

Poèmes retrouvés

VERS DE JEUNESSE

ODE AU CHAPEAU...

*Ode au chapeau (système gibus) de M. Lamare, profes-
seur d'histoire au lycée impérial de Saint-Brieuc (Musée
et Bibliothèque), archiviste et antiquaire de la ville, agrégé
de la faculté des..., officier d'académie, inventeur de la
chaîne de montre en or des gens qui n'ont pas les moyens
de se procurer des chaînes en cuivre*

INVOCATION

Venez, Muses, venez neuf sœurs
accorder ma cythare
Je chante le taf à Lamare
le plus cruel de tous mes professeurs
Et puissent mes vers si faibles par eux-mêmes
être grandis par le noble sujet
Que j'embrasse en chantant ce couvre-chef suprême
ce respectable objet

AU CHAPEAU

Noble débris (j'allais dire sans tache)
De la gloire de nos ayeux

Toi qui jadis bravas la francisque et la hache
Du sarrazin audacieux
Qui suivant de Clovis la vagabonde course
vis le Rhône effrayé remonter vers sa source
Du bruit de ses exploits
Viens et que ma lyre
Oubliant la satyre
Chante la splendeur d'autrefois
Oui ton nom est inscrit au temple de mémoire
ô féodal gibus
Oui ton nom est inscrit à l'autel de la gloire
parmi ceux des Romains en US.

TROIS QUATRAINS

I

sous les griffes d'un professeur
ma muse reste emprisonnée
mais elle paraîtra dans toute sa splendeur
une fois sorti du Lycée.

II

Bonsoir ô purs plaisirs où mon âme ravie
Aimait à s'élever vers Dieu
Et vous ô bons dîners le soutien de ma vie
Un dernier et suprême adieu.

III

À eux le latin de cuisine
Qu'ils courent après pauvres fous
À eux la version latine
Mais la narration est à nous.

VÉRITABLE COMPLAINTE
D'AUGUSTE BERTHELON

MORT À L'ART FIN COURANT
SUR L'AIR DE...
DANS SA VILLA SAN CREPINA
(ROUTE DE PARIS)

Ah! Chantons à perdre haleine,
Chantons à cris et à cors
Le dernier hymne du cor-
Donnier brisant son alène!
Pleurons avec des oignons
Le néant de Berthelon.

Il marche dans la carrière,
D'un glorieux vernis couvert,
Dans le soulier découvert
Et la botte à l'écuyère;
Ayant tant fait dans les peaux,
Il va perdre du repos!

Ah! voyez suinter les larmes
Dans tous les œils-de-perdrix :
On en sent bien tout le prix
Car la botte d'un gendarme
Reçoit comme un bénitier
Le pleur coulant de nos pieds.

Souvenez-vous de sa porte
Où brillait la botte d'or.
Aujourd'hui la botte dort;
On la dirait presque morte :

Aurait-elle, hélas! si tôt
Un pied dedans le tombeau?

Berthelon avait une âme,
Une âme d'artiste en fin
Et pour la chaussure enfin
Était bien aimé des dames,
Et même pour les semell(es)
Plus fort que feu Raphaël.

Mais ce n'est pas de lierre
Qu'il faut lui ceindre le front :
La palme et le laurier sont
Des plantes trop éphémères;
Seule la plante des pieds
À son front serein sied.

Va verdir sur les pelouses
De Villa San Crepina!
Là peut-être te suivra
Quelque fin pied d'Andalouse,
Avec l'Andalouse au bout
Et... et le pied mène à tout.

Plus n'iront filles mutines
Au cœur pur de Berthelon
Mesurer à l'étalon
Les talons de leurs bottines.
Aux talons de Berthelon
Qui trouve son état long!

Ah, quand la barque horrifique
D'un dernier coup de tranchet
Tranchera son cordonnet,
Dieu donnera sa pratique
En disant dans sa tendress(e) :
« Berthelon, *vide pedes.* »

Que l'encens de nos chaussures
S'exhale avec Saint-Crépin
Emportant contre son sein
Cette âme à juste mesure
Qui n'aura jamais souillé,
Jamais, l'âme d'un soulier.

On salera dans une urne
Sa peau, le plus doux des euirs.
Les grâces de l'avenir
S'en feront faire un cothurne
Pour aller danser au son
De l'hymne de Berthelon!

ODE AUX DÉPERRIER

PAR M. DE MALHERBE

UR LES ÉMANATIONS DE L'ÉCURIE DU REZ-DE-CHAUSSÉE
ET LES TUYAUX DU SECOND, MAISON CORBIÈRE N° 38

Et le flot montait toujours.

Cette odeur, Déperrier, sera donc éternelle!
       Le purin de nos cours
À côté du caca de tes commis ruisselle
       Et ruisselle toujours!

L'ordure du second, au premier descendue
       Par le canal d'en bas
Et du rez-de-chaussée à l'étage rendue,
       Ne s'évapore pas.

La fiente a son odeur à nulle autre pareille :
   Une odeur de fumier,
Si vous bouchez le nez, elle entre par l'oreille,
   Ô messieurs du Premier !

Le pauvre en sa cabane où le chaume le couvre
   La garde sous ses toits;
Et l'empereur se pince en ses closets du Louvre
   Le nez avec ses doigts.

Nous sommes en ce monde où porte chaque chose
   L'odeur de son destin.
Vous le sentez, messieurs, la rose sent la rose,
   Le purin, le purin !

À MADAME MILLET

(Air de *Maître Corbeau*.)

Pour répondre, madame, à vos gracieux vers,
Que ne me pousse-t-il des plumes de Guilmers !
Dans mon estime encor si vous faites un bond,
Ma foi, vous risquez bien de crever le plafond !

Comme on mène à la foire un vieux bouc embêté
Je mène mon Panneau vers l'immortalité;
Et quand des plats débris d'un jaunissant greffier
Je fabrique une lyre, il doit être très fier !

Mais j'ai hurlé mes vers dans tous les caboulots
À la lune, au soleil, aux ondes, aux échos.
Huîtres et rossignols, marmites, violon
Répètent à l'envi : « Voici le grefillon ! »

Et que me font, morbleu, les cris et les cancans,
Les Panneaux, les Baquet, leurs femmes, leurs enfants?
Il me faut un greffier par jour à seriner :
Ça m'est indispensable autant que mon dîner.

Je n'ai peur de rien, moi!... pas peur du choléra,
Pas peur de la trichine, et même... et cætera!
Qu'on déchaîne sur moi le greffe et le barreau,
Je ne me cacherai derrière aucun Panneau!

Sachez que dans la peau d'un fils, quoique souffrant,
Loge un gredin de cœur cloué solidement,
Je n'ai pas peur de l'eau, je n'ai pas peur des cieux.
... Ah! si! pourtant : j'ai peur de deux grands coquins
                                        [d'yeux!

De deux grands coquins d'yeux!... vous n'en saurez pas
Agréez, s'il vous plaît, mes très humbles saluts,   [plus.
Et quand voudra ma muse entonner sa chanson,
Le Panneau vibrera!... C'est lui le diapason!

SOUS UNE PHOTOGRAPHIE
DE CORBIÈRE

Aïe aïe aïe, aïe aïe aïe
Aïe aïe aïe qu'il est laid!
V'là c'que c'est
C'est bien fait
fallait pas qu'y aille *(bis)*
fair'son portrait

LÉGENDE INCOMPRISE
DE L'APOTHICAIRE DANET

I

Maître Danet dans sa louche officine
  Cherchait un soir,
Non pas non pas sa longue carabine,
  Mais son Clysoir!...
Il s'agissait pour notre vieux nain-jaune
  de dégraver
L'anus soufflé d'une pleine matrone
  près de crever,
  Oui, près de crever.

II

En la pointant droit au bas de l'échine
  Danet crut voir
Un animal qui lui fesait la mine
  Dans son trou noir!...
C'était un chat que la grosse cochonne
  prise de faim
Avait lappé dans sa rage gloutonne,
  Comme un lapin
  Oui comme un lapin!

III

Jamais encor, se dit l'apothicaire
  Courbant son front
non je n'ai bu dans ma vaste carrière
  pareil affront!

J'ai bien tiré sur plus d'une gouttière
        Des chats tout frais...
Mais un vieux chat au fond d'un vieux derrière
        Jamais jamais
        Non jamais jamais !

IV

Sur le devant de ma chère boutique
        Dont j'étais fou !
Qu'on place au lieu du serpent symbolique
        ce vil matou !
Ah ! dit l'artiste en dévorant ses larmes
        J'ai trop vécu !
Je m'en punis et... je brise mes armes
        sur ce vieux cu
        Oui sur ce vieux cu !

LA COMPLAINCTE MORLAISIENNE

Ousque sont habillés [sic] *en grande tenue les édilités et
autres et mis sur l'air de Fualdès par le sieur Corbière
Édouard et ousque sont apostillées et sublignées les plus
espirituelles choses pour le plus grand esbastement des obstus
d'esprit —*

I

Ciel quel est ce commissaire
Qu'on voit surgir sur nos bords,
Parmi s'étrons et rats morts,
Du *sein doux* de notre maire ?!
Pour ce qui est des pieds des mains,
Il a la forme d'un humain.

II

Mais son cœur est anathème!!
...Pour tous ses administrés
Il fait vœu de chasteté
sortant du quarant'huitième,
Et sans pitié il défend
Aux femmes de fair' des enfants.

III

Ce bipède vraiment inique,
(Qui n'a pas d'larmes dans les yeux?)
Envoie à des hommes vertueux
des brevets de filles publiques!
Ce qui est très inouï
Oh oui, pour très inouï, oui!

IV

Pour comble de désespérance
savez-vous ce qu'il advint?
Un' déconfitur' d'adjôints!
Pauvre, pauvre, pauvre France!!!
... Et pourtant le soleil par-
courait le ciel sur son char.

V

Pharaon ce commissaire
de police des hébreux
Les fricassait comm' des œufs
ce qui était un'grande misère,
Mais près d'çui çi Pharaon
n'était qu'un petit polisson.

VI

Hélas il avait prestance
D'un Thug ou même de deux,
Ce qui partout faisait que
il portait l'horrifiscence,
tel que l'vieillard le plus vieil
ne vit rien jamais d'pareil.

VII

Il était très délétère,
Mais Dieu qu'est fort comme il faut
voulut mettre fin à nos maux
sans mettre fin au commissaire;
Enfant j'vas vous dire c'qu'il fit
dedans le couplet qui suit —

VIII

Vite il expectore un ange
sous l'espèce d'un sous-préfet
Pour redresser tant d'forfaits,
avec des galons aux manches
Et même je crois qu'il en
avait sur l'tempérament

IX

très pareil aux alouettes
qu'on attire par le miroir
Le peuple est sorti pour voir
Le sous-préfet en lunettes.
C'qui fait qu'on pleurra *(sic)* longtemps
dans tout l'arrondissement.

X

Mais voilà ce peuple impie
Qui, ne le comprenant pas,
le prend, oui le prend hélas
Pour l'caissier d' la gendarmerie,
N'avait-il donc pas au front
une auréole oui-t-ou non

XI

La canaill' piaille et criaille
En braillant des braillements,
Par derrière et par devant,
on dirait que le cri aille
en tel rut que sire Écho
En prit mal dans les boyaux :

XII

« Accourez à ma revanche
« avec vos bottes et vos pieds
« vous portant sardines blanches
« Et coupez-leur le sifflet
« avec votre grand sabre et — ...

XIII

... cætera ! » v'là l'sang qui coule-
ra tout à l'heur' dans l' bassin
car l'on va mettre *bas cinq*
des têtes de cette foule !
les ventres vont être décousis
avec tout ce qui s'en suit.

XIV

Le commissaire, fils de chienne
Et crocodile ennuyeux

comme *feu* Néron mit le *feu*
à un'lanterne vénitienne
qu'il avait, de par ma foy,
prise à crédit chez Leroy.

XV

Mais v'là Leroy qu'est un ange
(g'na des anges qui sont pompiers)
d'un *nez fort* embrasse les pieds
des gens d'armes en phalanges
On ne dégainera jamais
Devant l'peuple de Morlaix!!

XVI

Cela est si mirifique
Pour les générations
Futures, qu'il est question
de mettre Leroy en musique;
musique de *violon...*
gens subtils me comprendront.

XVII

V'là l'tribunal dans la salle,
Un président d'*enfer naît*
mais pour ce qui est du *nez*
vraiment Collinet l'a sâle [*sic*]
l'yant fourré trop avant
Dans le cas des délinquants! —

XVIII

Bien vite instruisent l'affaire
Colli*net* et D'ampher*net*

Car ils avaient tous des *nez*
pour espionner nos derrières
et des nez qu'ils déguénaient [*sic*]
contre le peuple de Morlaix.

XIX

L'procureur lève sur la troupe
Une noble tête à cheveux blancs
que les coupables doivent souvent
voir se dresser dans leur soupe...!
Un' belle tête de vieillard
qu'est très éloquente, car...

XX

Il les condamne à la peine
Pour cause de châtiment
et sans plus de sacrement
En prison on les rengaine!
On ne dégainera jamais
Contre le peuple de Morlaix.

L'HYMNE NUPTIAL

(Air : *Partant pour la Syrie.*)

Fixée en Algérie
La smala des Guéguen
Pensait coucher Marie
En mâle marocain.
Tous étaient dans l'attente
D'un turco vert-de-gris.
La voici sous la tente
D'un blanc... le blanc Legris.

Il faut un dromadaire
Dans ce désert du cœur
Et ce tendre homme adhère
Ce jour à ce bonheur.
Il vit les sauterelles
Dans son lit sans effroi
Et cependant près d'elle
Il se sent plein d'émoi.

Il lui dit : « De mon âme
Vous êtes l'oasis,
À vos genoux, ma flamme... »
— « Oh! monsieur, oh! assis. »
Assis, il dit : « Gazelle,
Je demande ta main! »
Soupirant au gaz elle
Lui répond : « Oh! demain *! »

— « J'habite l'Algérie
Et c'est Oran où tend
Ici, dans ma partie
L'espoir d'avancement. »
À ces mots chacun pousse
Au sein du Sirocco
Une larme si douce
Que c'est plus sirop qu'eau.

---

* [En marge de cette strophe, l'auteur a noté :] Son père
était directeur de la Compagnie du gaz à Morlaix.

LES PANNOÏDES

OU LES TROIS MYSTÈRES
DU GREFFIER PANNEAU
SAVOIR : 1º LES FIANÇAILLES
2º LA CONCEPTION — 3º L'ENFANTEMENT

1er MYSTÈRE

Arrivée à Chateau-Gonthier [sic]
chez le mélophage et beau-père Parisot

Un beau jour sur Chateau-Gonthier [sic]
Se posait un jeune greffier.
Il était frais, svelte et volage
Comme l'est un greffier à l'âge
De vingt à cinquante-cinq ans,
Et par un matin de printemps.

Bien longtems [sic] des maux d'estomac
Le berçaient dans le célibat.
Aujourd'hui qu'il a le corps libre,
L'amour a fait vibrer sa fibre
dans l'appareil de digestion...
Enfin c'est un vrai papillon.

Que peut faire à Chateau-Gonthier [sic]
ce pa pa papillon-greffier?
Parbleu! s'annexer Adrienne,
(Grand bien lui advienne)
Sous la baguette de l'amour
Son cœur bat comme un doux tambour.

Il sonne, il entre... il est entré !
En plein dans l'asile adoré...
Il voit son amante accroupie
virant l'orgue de Barbarie
Et le vieux papa Parisot
Clapottant [*sic*] sur son bon piano.

Les voilà tous trois dans les bras
De l'un de l'autre... Et cætera...
« Panneau, qu'une union si chère
« Te rende un jour Père,
« Adrienne mère,
« Parisot grand-père,
« Dessur la tête d'un enfant
« Paraphé bien légalement. »

2ᵉ MYSTÈRE

LA CONCEPTION

AY PANNEAU
imitado de l'Español Ay Chiquità

L'on dit, Panneau, que ta femme
(Ici, bien mon compliment)
Va bientôt greffer ta flamme
Sur la tête d'un enfant !...
En passant devant ta porte,
Me promenant à l'œil nu,
J'ai vu (le Diable m'emporte !)
Quelque chose de... cornu * !

---

* [En marge :] Une chèvre nourricière.

Mais qui voudrait, si l'infidèle
Voulait te percher le front,
Collaborer avec elle,
Avec elle! ah quelle [*sic*] affront!
Qui pourrait avec la rebelle
Ay Panneau ô ô ô ô ô
Qui voudrait?... Ah, greffier modèle
Tu peux porter le front haut.

Ces cornes c'est une biche
Qui pour la maternité
A partagé... mais je m'en fiche.
Quant à la paternité,
Lorsque l'épouse est volage,
Il faut avoir sous la main,
pour les cornes du ménage,
une chèvre, c'est très sain.

Mais, bon-Jésus! si l'infidèle
Rêvait d'ombrager ton front
Qui voudrait rêver avec Elle?
Pas moi! non non quel affront!
Qui voudrait hélas avec celle
Ay Panneau ô ô ô ô.
Tu n'as pas besoin d'ombrelle
Tu peux tenir ton chapeau.

Mais, prends garde dans l'église
En portant le nourrisson
De l'appeler Artémise
(Surtout si c'est un garçon)
Pour le sexe des familles
Il faut voir les médecins
Sans quoi l'on verrait des filles
gendarmes et capucins!

Quand j'ai fait cette complainte
Ma Muse avait mal aux reins.
Elle aussi se trouvait enceinte
il me fallut un parrain.
　Et c'est toi, greffier lyrique,
　Ay Panneau ô ô ô ô ô
　Toi que j'ai mis en musique
　Pour violon et Pariseau !

3ᵉ ET DERNIER MYSTÈRE

L'ENFANTEMENT DU GREFFIER
(pot-pourri)

1º *Air du Noël d'Adam*

Minuit ! greffier, c'est l'heure solennelle,
Ouvrez-moi l'œil, ô Muses d'alentour !
Panneau, debout ! allume la chandelle,
À ton enfant il faut donner le jour.
Vois Adrienne en travail, en souffrance.
Je crois qu'il faut lui chauffer un bouillon —
— Pointu ! Voici l'heure de délivrance !
Noël, Noël, voici le greffillon !
　Noël, voici le greffillon * !

2º *Air sérénade de Gounod*

Parisot calme et pure
Ronflant, rêvant basson...
Il entend un murmure
Et passe un caleçon,

Greffillon : petit de greffier.

Son contour se révèle
Sans apprêt, sans atour.
Portez de la flanelle   } *bis*
La nuit comme le jour

3° *Air de Gastibelza*

Panneau lui dit en dégaînant [*sic*] sa bourse
    D'un de ses flancs :
« Va me louer une bonne à la course,
    « Voici deux francs !
« Chez le docteur pousse-la ventre à terre,
    « Docteur Bozec
« Et lui, qu'il vogue en chemise légère :
« Le baromètre est à Beau-sec !
    « Oui, à Beau-sec ! »

4° *Air de la Retraite*

Bozec se lève, il vole, mais sans aile,
    Sous son aisselle,
    Oui, mais il prend
Sous l'bras un instrument,
    Un instrument,
Oh mais un instrument
    Beaucoup plus grand
    q'pour extirper un' dent.

5° *Air de St Roch*

Il vole donc, pas au vol, mais en nage
Et, sur le sein des Panneaux aux abois...
    ... (ma Muse ici s'est voilé le visage,
De ses deux mains,... pour voir entre ses doigts)

« Voyons, cocotte,
« Qu'est-c'qu'on tripotte [*sic*]
« Mais un Panneau
« Nous bouche le tableau. »

6º *Air du jeune greffier*

Crac le v'là ! qui ? parbleu, l'enfant !
Tout au bout du grand instrument.
Grand Dieu, si c'est là ton image
T'as un' drôl' de ball' pour ton âge,
Pardonne aux Panneau cet affront,
Ils ne savent plus ce qu'ils font !

7º *et dernier*
Air des Montagnes dans la Dame blanche

Sonnez, sonnez, sonnez, forceps et serinette !
Tous les Panneau et Pariseau sont réunis
Un gréfillon c'est une fête
Pour le greffier qui l'a commis !

Sonnez, sonnez, cordons de sonnette
Tout ahuri, Bozec s'enfuit,
Un gréfillon ce n'est pas fête
Pour un docteur surtout la nuit.

Sonnez [...] Etc.

POÈMES DIVERS

LA BALANCELLE

La balancelle Le Panayoti *prise sur les forbans, par la*
corvette La Lamproie *et se rendant à Smyrne, commandée*
par le lieutenant Bisson avec un équipage français est
assaillie dans l'archipel par une flotte de tartanes pirates et
se fait sauter avec eux

par

Trémintin de l'île de Batz, quartier-maître et pilote à bord
et pour ça [sic] cavalier de la religion d'honneur mis envers
et contre tout, par Édouard Tristan Corbière.

(Ile de Batz, 1867.)

Deux requins dans ton lit, un' garc' dans ton hamac !
'as d' sacrés chiens d' mat'lots, ouvrez-moi l'œil... cric...
                                                    [crac !
'ous allez voir comm' quoi dix-huit mat'lots et l'of-
'icier qui commandait pétèr'ent leur dernier loff.

Moi, j'étais quartier-maîtr', quartier-maître et pilote
'e d' sur un' balançoir' qu'y gna pas dans la flotte,

Un' manière d'barquass' que les autr's avaient pris
D' sur les forbans (sensé les pratiq's du pays).
V' saurez pour vot' gouvern' que j'avions mis not' sac
Et l' pavillon d' l'Emp'reur sur c't'espèc' d' bric-à-brac.

Pour lors, donc, nous croisions sur la mer *archi-belle*
Ousque l' temps est si beau et la mer est si belle
Qu'on dirait qu'y en a pas; mais c'est infecté d' Turcs,
D'archi-Turcs qui vous cur'nt la carcass' : c'est leur truc.
Gna toujours du soleil ou, pour du moins, la lune
Là, et c'est bleu qu'on double, qu'on navig' comm' sur
                                                                        [une
Pancarte à perruquier; pour de l'eau, c'est de l'eau,
Mais tout d' mêm' ça n'est pas un' vrai mer à mat'lots,
De l'eau douc' qu'est sal', quoi! c'te mer-là, c'te mer-là
C'est comm' les poissons roug's dans les débits d' tabac.
Pour le nom du navir', ni Français, ni Breton,
Ni d' Saint-Malo non plus... un sacré nom de nom,
Le Panayotif, quoi!... mais pour le nom d'un brave,
C'est le nom de Bisson, commandant, rud' cadavre,
Un' moutur' premier brin pour le mat'lot sauté
Q' l' tonnerre d' Dieu n'est qu'un' d'mi-foutaise à côté.

« À ta santé, Bisson, c'est la sacré' bouteille
De ton vieux matelot; à ta santé, ma vieille! »
Pour lors donc, j'étais d' quart. — « Ouvre l'œil, au
Trémentin, que me dit Bisson, vois-tu, ce soir, [bossoir
Ça sent l' pirat'!... » Gros temps, nous étions sous une île
Ousqu'y pouss' des pirat's pas par douzain', par mille...
— Ouvre l'œil au bossoir! Et nous torchions d' la toile
À fair' fumer ma chique, et rafal' par rafale
L' Panayotif pliait comme un' plume à goëland.
— Ouvre l'œil au bossoir!... Tonnerr', voile à l'avant!
Branle-bas de combat : du trois-six plein les bailles
(Ça donn' du cœur au mond'), nous allons rir', racaille
— Voile au vent, voil' sous l' vent! autant dir' voil'
                                                                        [partout

Comm' si j'en accouchions par l'œil, par tous les bouts.
Mais c'est Bisson avec sa plus grande uniforme
(Ah! quel homm' veillatif!), aiguillet's, claque à cornes,
Enfin, tout l' tremblement. Moi je m' dis : « gnaura
                                             [chaud! »
— Trémentin, qu'y me hèle, accoste à moi, mat'lot :
T'as du cœur? — Moi? pour ça, foi de Dieu, plein mon
                                             [ventre!
— Bon! Si j'aval' ma gaffe avant toi, faut pas s' rendre.

— J'sais ça z'aussi bien q'vous. — Oui, mais faut m'
                                             [foutre le feu
Dans la soute à poudre, et... Ta main, pilote, adieu!

Et c'est qu'y m'croch' la main, c'te patt'-ci, c'est la
                                             [même.
Tout comme un officier, ni plus ni moins, tout d' même.
— Quoi, c'est tout ça? Ma foi, mon commandant Bisson,
Que vous êt's bien bégueul' de prendr' tant de façons!
J' saut'rons l' Panayotif, quoiq' je n'suis qu'un gabier,
J' vous l' sautr'ons aussi z'haut que l' premier officier.
— Silence, l' mond' partout! » — Moi, j' me colle une
                                             [chiq' fraîche.
À tribord de ma gueul', sous mon sifflet, la mèche
Piqué' sur les affûts. — Nous y v'là, veille au grain.
C'est q' tout's ces balançoir's nous tombaient d'ssus,
                                             [grand train;
On r'nâclait leurs odeurs, à c'te mulon d' vermine;
Gnavait des femm's aussi, ça vous jutait un' mine,
Un' mine!... et ça pouillass' comme rats à poison
D' sur des quartiers d' citrouill's gréé's en papillons.
Sacrés tortillards, va!... Bisson, j'vois q' ça l' gargouille
D' pincer l' carcan d'avec c'te damné tas d' grenouilles.
I fout là son cigare, un bon bout. « — Avant d'main,
Mon garçon, que je m'dis, gn'aura d' la viande à r'quins! »
Tout not' monde était crân' comm' des p'tits amours,
                                             [parce

Q' j'avais dit q' l' commandant leur cuisinait sa farce.
V' pensez q' les Turcs, c'est fort, c'est pas un cuir
[chrétien,
C'est comm' culots d' gargouss' gréés en grouins d'
[chiens
Et pis des pistolets, plein l' ventre d' leurs culottes,
Longs comm' canul' à vach's... paraît q' c'est leur
[marotte !
Faut croir' qu' l' bon Dieu couchait, par un' nuit d'
[mardi gras,
D'avec la mèr' Ribott, quand il fit ces trogn's là.
Jésus queu bosse d' rir' ! — Timonier, barr' dessous...
Feu tribord, aval' ça ! tout le mond', casse-cou !
Et les Bretons aussi ! — Attrape à en découdre ! —
Et v'lan ! v'là leur volé' (bonn' Vierg', queu drôl's de
[bougres !)
Ça nous raffl' proprement, comme un coup d' *torlischtri*,
— Attrape à riposter ! — Je t'en fous, v'là m's amis,
Comm' des cancr's en chaleur, qui croch'nt à l'abordage
Et leurs sangsu's d' femm's donc, queu cancan, queu
[ramage
L'poil dressait d' leurs quat'z yeux, leur lang' sortait d'
[leurs dents
J' n'étions plus q'sept... les autr's dans l' vent' d'ce
[chiens savants
Bisson en avait plein, comm' des poux sur un' galle,
Qui lui suçaient la vie ; y se s'coue, y s'affale
Avec un' mèch' qui fum' (g'a pas d' fumé' sans feu).
Moi, je r'nifle son truc et je m'ferm' les deux yeux
Par précaution... Et j' saut' !... c'est sauté !!... c'est tou
[drôle
J' sais comm' quoi j'ai sauté, mais j'sais pas la parole
C'est comm' qui dirait comme une espèc' d'
[rognonn'men'
Du coton qu'on s' fourrait dans l'oreill' sensément
Et comme un bon coup d'poing qui saut'... J'aval' m'
[chiqu

Du coup... J' m'sentais en l'air, comm' pochard au
                                        [physique,
Pourvu q'ça dur', c'est bon... Tou [*sic*] à coup l'
                                        [commandant
M' raze, au razibus d' moi que j'en sentais le vent,
En l'air, en quat' morceaux, sans compter l'uniforme,
C'était dur... un mat'lot, ça!... qu'il a sa colonne
Qu'on lui planté'z' aux pieds dans l' port de Lorient
(Lorient, séjour de guign'!). Pour moi, tout en volant
Comme un ballon crevé du milieu des nuages
J'voyais mes moricauds tout en bas à la nage,
Un' ratatouill' d' boyaux, de femm's et d' pistolets,
Et j'voyais tout' la mer, grand' comm' un' baille à bras;
Et j' voyais l'îl de Batz, oùsqu'une femm' qui n'est plus
M' faisait, en m'attendant sauf vot' respect, un animal
Cerf à la Marengo... A c't instant-là ma chique   [cocu,
Que j'avais avalé' me brassait un' colique...
Je m' sentais r'descendr' raide, et j' tombe écrabouilli
Comme un' crêp' en ralingu', dans l' chaud d'c'te
                                        [bouilli'
D'tripaillons en pagaill', de têt's, de jamb's sans maîtres,
Des ventr's qui criaient seuls, et des œils sans lunettes,
Et j' nageais d' vers la côt', mais v'là mon âm' que j'
                                        [rends,
Je m'sentais monter la cagn' par tout l' tempérament.
. . . .
J'sais pas trop c' que ça dure, un jour ou un semestre,
Mais je n'respirais plus qu' par l'dernier bouton d'
                                        [guêtre;
Tout c' qu'a d' sûr, c'est qu'un jour j'rouvre l'œil rond
                                        [et bien,
D'vinez où?... sauf respect, sous l'nez d'un chirurgien
D'troisièm' classe. Y gn'vait queuqu' monde d'la
                                        [*Lamproie*
Qu'avait r'luqué du larg' l'bastringue d' notre exploit,
Et qui m'avait r'pêché en drive (et j'les r'merci')
Parmi l'Panayoti... moi, j'dis l' *Panier rôti!*...

. . . .
À ta santé, Bisson !... Là, l'vin n'se pomp' q'par cruches
Dans c'te gueuzard d'climat, et le sesq' comm' de juste
Sensitif au mat'lot, et les crèch's à cochons
C'est tout colonn's comm' cell' de Lorient à Bisson.

. . . .
...Moi, j'nai pas d' colonn', mais j'ai gagné dans c't'ex-
                                                    [ploit
L'honneur d'êt' survécu, la gal' turque, et ma croix.

SOUS UN PORTRAIT DE CORBIÈRE

EN COULEURS FAIT PAR LUI
ET DATÉ DE 1868

        Jeune philosophe en dérive
        Revenu sans avoir été,
        Cœur de poète mal planté :
        Pourquoi voulez-vous que je vive ?

L'amour !... je l'ai rêvé, mon cœur au grand ouvert
Bat comme un volet en pantenne
Habité par la froide haleine
Des plus bizarres courants d'air ;
Qui voudrait s'y jeter ?... pas moi si j'étais ELLE !...
Va te coucher, mon cœur, et ne bats plus de l'aile.

J'aurais voulu souffrir et mourir d'une femme,
M'ouvrir du haut en bas et lui donner en flamme,
Comme un punch, ce cœur-là, chaud sous le chaud soleil...

Alors je chanterais (faux, comme de coutume)
Et j'irais me coucher seul dans la trouble brume
Éternité, néant, mort, sommeil, ou réveil.

Ah si j'étais un peu compris! Si par pitié
Une femme pouvait me sourire à moitié,
Je lui dirais : oh viens, ange qui me consoles!...
. . . .
...Et je la conduirais à l'hospice des folles.

On m'a manqué ma vie!... une vie à peu près;
Savez-vous ce que c'est : regardez cette tête.
Dépareillé partout, très bon, plus mauvais, très
Fou, ne me souffrant... Encor si j'étais bête!

La mort... ah oui, je sais : cette femme est bien froide,
Coquette dans la vie; après, sans passion.
Pour coucher avec elle il faut être trop roide...
Et puis, la mort n'est pas, c'est la négation.

Je voudrais être un point épousseté des masses,
Un point mort balayé dans la nuit des espaces,
            ...Et je ne le suis point!

Je voudrais être alors chien de fille publique,
Lécher un peu d'amour qui ne soit pas payé;
Ou déesse à tous crins sur la côte d'Afrique,
Ou fou, mais réussi; fou, mais pas à moitié.

UNE MORT TROP TRAVAILLÉE

        C'était à peu près un artiste,
        C'était un poète à peu près
        S'amusant à prendre le frais
        En dehors de l'humaine piste.

Puis, écœuré de toute envie
En équilibre sur la vie
Et, ne sachant trop de quel bord...
Il se joua, lui contre *un mort*.

Au *bac*... — Au bac à qui perd gagne
Il perdit, ou, comme on voudra
Donc, dans trois mois, il se tûra !
Pour aller vivre à la campagne

...Trois mois... Ce n'est pas qu'il se pleure...
C'est un avenir à vingt ans,
Trois mois pour dorer de bon temps
La pilule du grand quart d'heure...

Vingt-quatre heures, c'est l'ordinaire,
Mais lui faisait tout en flânant
Et voulait prendre de l'élan
Puisqu'il n'avait qu'un saut à faire —

Tant en prit (jusqu'à sa pantoufle,
Avant soi voulant tout laver)
Qu'enfin il lui restait de souffle,
Juste assez pour se le souffler.

Or, jusqu'au bout dans ses toilettes
Suivant ses instincts élégants,
Lâchant la vie avec des gants
Prit la mort avec des pincettes.

Il fit donc faire en Angleterre
Deux fins pistolets de *Menton*,
L'un, pour s'appuyer au menton
Et l'autre pour faire la paire.

Le pistolet, c'est un peu bête —
Outil presque médicinal —

Mais, pour lui, ça n'allait pas mal
Qui manquait de plomb dans la tête.

Et, ma foi, pour se fondre l'âme,
C'est aussi neuf que le poison,
C'est aussi chaud que le charbon
Ou que le creuset d'une femme !

C'est une affaire de calibre,
De goût, de dégoût ou d'argent —
Laissons-le donc trois mois chargeant
Ses pistolets. — Il est bien libre. —

Et puis, quels bijoux que ces armes
En acier mat, un peu trop sec.
Ça donnait un froid non sans charmes,
Frisson chaud à coucher avec !

Il les avait fait faire exprès,
Voulant dans son suprême excès
Que ce fût une bouche vierge
Qui lui mouchât son dernier cierge.

Il avait fait graver son nom
En spirale sur le canon,
Et comme autour d'un mirliton
Cet aphorisme simple et sage
En vers que je vous transcris tels :
« Ici, ce qui manque aux mortels
Pour savoir mourir, c'est l'usage.

Ces pistolets sont une pose.
Eh bien posez comme il posa.
Allez, bourgeois, c'est quelque chose
De poser encor devant *ça !* — ».

Il écrivit à sa maîtresse,
Comme on le fait en pareil cas...
— Et même quand on n'en a pas
Alors, c'est « Amanda » l'adresse —

Lui pour que sans pleurer ni rire, elle chantât
Il lui mit ça sur l'air de « J'ai du bon tabac »
                              Mon rat,

« Lis-moi jusqu'au bout, lis ça comme un conte.
Je me suis tué pour tuer le temps.
Je te lègue tout : comme fin de compte
Je laisse après moi : vingt ans, dont 20 francs.

« Puis ces pistolets : l'un dans ta ruelle
Avec mon amour, au mur accroché,
Comm objet d'art et, que lui soit fidèle
À ce dernier feu que j'aurai lâché.

« L'autre encor chargé, mets-le dans ma boîte,
Réveille-matin réglé pour ma nuit,
Dans cette couchette un peu trop étroite
Pour mettre au pied ma descente de lit.

« Si tu m'as aimé, ne ris pas ma Belle,
Je ne me fais pas, va, d'illusions.
Mais j'étais très mâle et toi très femelle
Et tu m'as aimé... par convulsions.

« Si tu m'as aimé, qu'allais-je donc dire,
Te donner peut-être des rendez-vous?
Tiens, je ris par chic, je veux, je veux rire!...
Eh bien! viens pendant qu'on mettra les clous. »

     Il se demanda si son âme
     Allait crever comme un abcès
     Ou s'éteindre comme une flamme,
     Puis il se dit : Eh bien! après?

Le moment venu (faiblesse physique)
Il s'ingurgita (c'est assez petit)
Un cruchon de rhum, toni-viatique,
Pour se mettre enfin plus en appétit —

Il se mit devant son armoire à glace
(Chez le photographe il n'eût pas fait mieux)
Pour se voir un peu tomber avec grâce,
Se jetant encor de la poudre aux yeux.

> Froid et brûlant baiser, il colla sur sa bouche
> La bouche où son dernier soupir est arrêté!...
> Il tombe, le coup part, suivi d'un éclair louche
> Et la charge...
>   Excellente; il s'est juste raté!

MORALE

Drôle de balle et drôle pistolet!
Il en porte aujourd'hui les marques :
Il est marchand de contremarques
À la porte du Châtelet.

★

Donc Madame, une nuit, un jour que j'étais ivre,
Peut-être ivre de vous, j'ai voulu faire un livre
Et je prends un crayon, j'écris sur mes genoux,
Sur le vôtre peut-être — enfin c'est bien à vous
Et je puis, par raccroc, qui sait, être un génie
Ou bien un [*illisible*], enfin toute ma vie
J'ai le droit de me taire et tout ce qui s'ensuit.
Je puis être bête à m'en réveiller la nuit.
Mais va, j'avais toujours dans mon drôle de livre
Un joli trait bizarre, un coup de crayon [...]

DEUX DÉDICACES
DES « AMOURS JAUNES »

I
SUR L'EXEMPLAIRE DE M. LE VACHER

Exemplaire de mon gendre.

Mon blazon pas bégueule
est comme moi faquin
Nous bandons à la gueule
Fond troué d'arlequin.

II
SUR L'EXEMPLAIRE DE M. LE GAD

Nous sommes tous les deux deux fiers empoisonneurs.
À vous les estomacs, Le Gad, à moi les cœurs !

UN DISTIQUE

Mon cher, on m'a volé... — Que je plains ton malheur !
— Oui, mon cher, un album. — Que je plains le voleur !

PARIS DIURNE

Vois au cieux le grand rond de cuivre rouge luire,
Immense casserole où le Bon Dieu fait cuire
La manne, l'arlequin, l'éternel plat du jour.
C'est trempé de sueur et c'est poivré d'amour.

Les Laridons en cercle attendent près du four,
On entend vaguement la chair rance bruire,
Et les soiffards aussi sont là, tendant leur buire;
Le marmiteux grelotte en attendant son tour.

Tu crois que le soleil frit donc pour tout le monde
Ces gras graillons grouillants qu'un torrent d'or inonde?
Non, le bouillon de chien tombe sur nous du ciel.

Eux sont sous le rayon et nous sous la gouttière
À nous le pot-au-noir qui froidit sans lumière...
Notre substance à nous, c'est notre poche à fiel.

Ma foi j'aime autant ça que d'être dans le miel.

PARIS NOCTURNE

Ce n'est pas une ville, c'est un monde.

— C'est la mer : — calme plat — et la grande marée,
Avec un grondement lointain, s'est retirée.

Le flot va revenir, se roulant dans son bruit —
— Entendez-vous gratter les crabes de la nuit...

— C'est le Styx asséché ; Le chiffonnier Diogène,
Sa lanterne à la main, s'en vient errer sans gêne.
Le long du ruisseau noir, les poëtes pervers
Pêchent ; leur crâne creux leur sert de boîte à vers.

— C'est le champ : Pour glaner les impures charpies
S'abat le vol tournant des hideuses harpies.
Le lapin de gouttière, à l'affût des rongeurs,
Fuit les fils de Bondy, nocturnes vendangeurs.

— C'est la mort : La police gît — En haut, l'amour
Fait la sieste en têtant la viande d'un bras lourd,
Où le baiser éteint laisse sa plaque rouge...
L'heure est seule — Écoutez : ... pas un rêve ne bouge

— C'est la vie : Écoutez : la source vive chante
L'éternelle chanson, sur la tête gluante
D'un dieu marin tirant ses membres nus et verts
Sur le lit de la morgue... Et les yeux grand'ouverts !

PETIT COUCHER

(RISETTE)

Le plaisir te fut dur, mais le mal est facile
    Laisse-le venir à son jour.
À la Muse camarde on ne fait plus d'idylle ;
    On s'en va sans l'Ange — à son tour —

Ton drap connaît ta plaie, et ton mouchoir ta bile;
Chante, mais ne fais pas le four
D'aller sur le trottoir quêter dans ta sébile,
Un sou de dégoût ou d'amour.

Tu vas dormir : voici le somme qui délie;
La Mort patiente joue avec ton agonie,
Comme un chat maigre et la souris;

Sa patte de velours te pelotte et te lance.
Le paroxysme encor est une jouissance :
Tords ta bouche, écume... et souris.

☆

Moi ton amour? — Jamais! — Je fesais du théâtre
Et pris sous le *manteau d'Arlequin*, par hasard
Le sourire écaillé qui lézardait ton plâtre
La goutte de sueur que buvait ton bon fard.

Ma langue s'empâtait à cette bouillie âcre
En riant nous avons partagé le charbon
Qui donnait à tes yeux leur faux reflet de nacre,
À tes cils d'albinos le piquant du chardon.

Comme ton havanais, sur ta lèvre vermeille
J'ai léché bêtement la pommade groseille
Mais ta bouche qui rit n'a pas saigné... jamais.

L'amende est de cent sous pour un baiser en scène...
Refais ton tatouage, ô Jézabel hautaine,
Je te le dis sans fard, c'est le fard que j'aimais.

PIERROT PENDU

I

La femme est une pilule
Que tu ne sais plus dorer
Ta lyre, outil ridicule
[. . . . .]

II

C'est fini la comédie,
À la Morgue les Amours!
Arrêtons sur la my-die
La patraque de nos jours.

III

À la maîtresse chérie
De ton chanvre laisse un bout,
Elle fut la galerie
Qui l'admira malgré tout.

IV

Va, ça lui portera veine
— Ce dernier nœud de licol
Pour toucher dans la quinzaine
Un vrai monsieur en faux-col.

v

Qu'elle corne, la corneuse :
C'est aussi pur mais le soir [?]
Qu'elle râle, la râleuse
Et qu'elle trotte au trottoir.

FRAGMENT DE POÈME

Pourquoi n'êtes-vous pas brigand sur la montagne
C'est beau
[Mon dieu] j'ai bien passé deux ans à la campagne
Mais il fallait coucher trop souvent dans les bois
Et les carabiniers [en retard quelquefois] quoique
                              [toujours trop tard
                    trop mais et puis plus de hasard
Me gênaient même [alors je me suis dit qu'en somme]
                    [allons le brigandage en somme]
[Le métier valait mieux de pouilleux gentilhomme]
est une [duperie] leurre — [être]
duperie — inventé [?]
j'ai repris à peu près le métier d'homme

Œuvres en prose

I

CASINO DES TRÉPASSÉS

Un pays, — non, ce sont des côtes brisées de la dure Bretagne : *Penmarc'h, Toul-Infern, Poul-Dahut, Stang-an-Ankou*... Des noms barbares hurlés par les rafales, roulés sous les lames sourdes, cassés dans les brisants et perdus en chair de poule sur les marais... Des noms qui ont des voix.

Là, soùs le ciel neutre, la tourmente est chez elle : le calme est un deuil.

Là, c'est l'étang plombé qui gît sur la cité d'Ys, la Sodome noyée.

Là, c'est la *Baie-des-Trépassés* où, des profondeurs, reviennent les os des naufragés frapper aux portes des cabanes pour quêter un linceul; et le *Raz-de-Sein,* couturé de courants que *jamais homme n'a passé sans peur ou mal.*

Là naissent et meurent des êtres couleur de roc, patients comme des éternels, rendant par hoquets une langue pauvre, presque éteinte, qui ne sait rire ni pleurer...

C'est là que j'invente un casino.

CASINO DES TRÉPASSÉS

(STATION D'HIVERNAGE)
À LA BONNE DESCENTE DES DÉCOURAGEUX
À PIED ET À CHEVAL.

C'est un ancien clocher, debout et décorné. Sa flèche
est à ses pieds — tombée. Des masures à coups de ruines
flanquées en tas contre lui, avec un mouvement ivrogne,
à l'abri du flot qui monte et du souffle qui rase.

Ah! c'est que c'est une bonne tour, solide aux cloches
comme aux couleuvrines, solide au temps; un vieux nid
des templiers, bons travailleurs en Dieu, ceux-là! sacrés
piliers de temple et de corps de garde. On sent encore en
entrant cette indéfinissable odeur de pierre bénite qui
ne s'en va jamais.

L'intérieur est un puits carré, quatre murs nus. À
mi-hauteur, une entaille en ogive longue et profonde
donne une raie de lumière. La brise bourdonne là-haut
comme une mouche emprisonnée. De loin en loin, sur
les parois, montent de petits jours noirs : c'est l'escalier
dans l'épaisseur des murailles; sur les haltes, sont ména-
gées des logettes, avec un œil en meurtrière ouvert sur
l'horizon. C'est là que gîteront nos hôtes.

Système cellulaire : douze pieds carrés, murs blanchis
à la chaux, hauteur d'appui en châtaignier d'un beau
ton; autour, des clous-de-la-Passion pour clouer les
vêtements; une couchette de nonne, une auge de pierre
pour les ablutions, une longue-vue, une espingole chargée
à chevrotines pour les canards ou les *philistins*. Voilà.

En bas, dans la nef dallée de pierres tombales, la cuisine . cuisine à tout faire. — On entre à cheval. — Four
d'alchimiste; cheminée grande comme une chaumine
pour coucher les mâtures de navires (car — Dieu aidant

— la grève vaut une forêt en coupe réglée); des landiers d'enfer pour flamber le goëmon.

Sous le manteau, des escabelles pour le bonhomme Homère, le docteur Faust, le curé Rabelais, Jean Bart, saint Antoine, Job le lépreux et autres anciens vivants; un trou pour les grillons, s'ils veulent. Une torche en veille piquée près la crémaillère; partout des crampons pour accrocher le sabot aux allumettes, la boîte au sel, les andouilles, le rameau bénit, les bottes suiffées, un fer à cheval qui porte bonheur.

Contre le mur culotté, les armes et harnais de chasse, de pêche et de gueule : canardiers, harpons, filets, vaisselle d'étain, cuivres, fanaux. À la porte, le billot des exécutions; au centre, un vrai *dolmen* pour la ripaille, entouré de fauteuils roides charpentés comme des bois de justice. Aux poutres du plafond sont hissées des herses pour les grandes natures mortes. Au coin, dans le clair-obscur, un coucou droit dans un bon cercueil de chêne, sonnant le glas des heures. Tout plein le vaste bénitier, une famille de chats électriques; dessous, un gras roquet de tourne-broche rognonne, et, clopin-clopant, de-ci de-là, des canards drôles.

En haut, à une simple élévation de cathédrale, au niveau de la fenêtre géante, nous ferons l'unique étage, plate-forme en charpente en manière de *chambre des cloches*. On y montera par l'escalier en boyau ou par des haubans de vaisseau garnis d'enfléchures avec une grande hune pour palier. C'est l'atelier. — *Studio di far niente.*

Le jour est manœuvré à volonté par le rideau d'un théâtre en faillite. Au milieu, table monumentale jonchée de papiers; dessous, des peaux de phoques. Alentour, divans perses. Aux murs, tentures d'arlequin, tapisseries, cuirs coloriés, voiles tannées, pavillons, guenilles sordides superbes. Des images d'Épinal collées en lambeaux sur la porte. En face, un poële russe et la bouilloire à thé. Au fond, un orgue de chapelle pour les musiciens de Barbarie, et des niches pour les vieux saints qu'on ne fête plus. Une grande toile sur châssis pour les peintres déposer leurs ordures. Une chaloupe défoncée pleine de foin nouveau pour les chiens et les poëtes. Un lit de camp : des philosophes dessus et deux petits cochons noirs dessous. À côté, un débit de tabacs. Dans l'espace, des hamacs pendus comme toiles d'araignées, parmi des appareils de gymnastique. Au bout d'une chaîne à puits crochée à perte de vue, oscille le lustre, vrai grappin d'abordage forgé par un maréchal-ferrant ivre et vierge.

Plus haut, si haut qu'on peut monter, c'est la galerie extérieure et la plate-forme découverte qui commande là-bas, lavée par les grains, balayée par les trombes, grêlée par les lunes. Un coq rouillé se ronge, empalé sur le paratonnerre.

Des petits jardins engorgent les gargouilles. Aux angles deux mâchicoulis bayent sur l'abîme et deux clochetons *montrent du doigt le ciel.*

L'un sera gréé en poste de guetteur : mât de télégraphe à grands bras fantastiques et beffroi affolé que les sautes de vent mettront tout seul en branle, dans les nuits de liesse, pour le naufrage.

L'autre, attendant aussi un vent de hasard... attendra.

Là, je veux des petits vitraux obscurs, grillagés, impénétrables dans la barbacane profonde hérissée d'artichauts de fer; une porte de fer à secret, pleine de clous, armée de verrous... et grand ouverte.

Je veux l'oubliette aérienne, capitonnée de fleurettes pompadour, encombrée de fleurs en fleurs; un canari empaillé dans une cage dorée, un miroir de Murano plus grand que nature, un sofa Crébillon et un plafond en dôme peint par Mahomet (7e manière)...

C'est pour l'épave qui est en l'air, la flâneuse du rêve, l'ombre grise qui va vite comme les morts de ballade...

et qui ne vient pas. Madame Marlbrough, peut-être :
« Anne, ma sœur Anne, ne vois-tu rien venir? —
Rien! Rien que l'ouragan qui festoie, la girouette qui
tournoie, la brume qui noie... »

CASINO DES TRÉPASSÉS

Oh! la haute vie sauvage qui vivra là, messeigneurs,
hôtes de céans!

À LA BONNE DESCENTE DES DÉCOURAGEUX.

Nargue de tout!

Oh! *la rude revalescière!* Oh! *le grand* à pleins pou-
mons! le cynisme élégant! l'oubli qui cicatrise et le
somme qui délie!...

À nous la libre solitude à plusieurs, chacun portant
quelque chose là, tous triés d'entre les autres par la lourde
brise qui chasse au loin les algues sèches et les coquilles
vides.

Ici, nos moyens nous permettent d'être pauvres.

Pas de bonhomme poncif à gâter le paysage, notre mer
et notre désert. Frères, voici votre uniforme : chapeau
mou, chemise brune en drap de capucin, culottes de
toile à voiles, bottes de mer en cuir fauve. Nous sommes
beaux, allez!

À vous, chasseurs, les grands sables et les marais; à
vous, matelots, la mer jolie et ses poissons qui mangent
souvent du pêcheur; voici vos baleinières de cèdre blanc,
braves embarcations hissées sous le porche à leurs
potences de fer.

Voici nos équipages d'aventure : des *frères-la-côte*,
brutes antiques, pilotes comme des marsouins, cuisiniers
à tous crins et femmes de chambre...

Terriens, terrez dans les chaumières. Vous autres,
gîtez dans les cellules, nichez dans les aires, perchez
dans les haubans!

Pas d'esprit, s'il vous plaît : on est sobre de mots
quand on s'est compris une fois.

Toi, fainéant, fais un livre — tout homme a son livre
dans le ventre — et l'ennui berceur se penchera sur toi.
Peintre ficeleur, dépouille le vieux *chic*. Ô harpiste!
écoute et tais-toi! Rimeur vidé, voici venir les heures
hantées...

Humons l'air qui soûle...! Et toi qui es malade de la
vie, viens ici cacher ta tête, et repose sur le gazon salé,
dans le désabonnement universel.

Tristan.

Penmarc'h. — Septembre.

II

L'AMÉRICAINE

D'accord, gentlemen-sailors, en France, on n'a pas
idée d'un yacht; les cotres anglais sont d'admirables
chevaux de course. Et vos goëlettes américaines, jolies
comme tout sur la mer jolie! J'ai vu des vieux marins
attendris leur prodiguer des noms d'oiseaux! Mais, s'il
me fallait, avec ces amours-là sous les pieds, donner dans
les brisants, finoler dans les arêtes, j'aurais peur pour
la peinture!

Pour moi, la navigation de plaisance doit être, avant
tout, excentrique; une chose défendue aux bourgeois de

la mer : sortir quand ils sont forcés de rentrer, chasser dans l'ouragan qui les chasse et battre la lame qui les bat. Braver tranquillement est une des plus grandes voluptés sur terre comme sur mer, et je mets cela bien au-dessus de la satisfaction que vous trouvez à filer plus ou moins de nœuds à l'heure sur vos yachts de plaisance. Sans compter qu'avec mon sabot de misère, par une brise fraîche à démâter, j'aurais sur vous une prodigieuse supériorité de marche et je tiendrais le pari de noyer des clippers encore plus marins que les vôtres.

Mon sabot, c'est un *lougre*, un fin flibustier brutal à la mer brute, sourd au temps ; et, même en calme, avec sa mine de tourmente, il semble toujours faire tête au grain. Ras d'eau, ras de mâture : trois mâts comme des pieux hardiment penchés sur l'arrière. Trois larges voiles triangulaires tannées, voilà pour courir son bord.

Le poste et la cale prennent la moitié de la coque, l'autre moitié, c'est la chambre, doublée en chêne blanc, nue comme le pont. Un coup de pompe là-dedans et la toilette est faite. Un coup de mer fait aussi bien. Autour sont les soutes qui servent de divans, et ses grands charniers étanchés pour les provisions, les effets et les armes ; au milieu, la table à roulis. Pour la nuit, on croche aux barrots de bons cadres de toile douillets et larges comme des lits de noces. Ici, voyez-vous, le vrai confort est la simplicité.

Et mon équipage !

Vous avez, gentlemen-sailors, de superbes marins, des lions de mer au beefsteak, propres comme ma petite sœur, forts comme des demi-dieux, soit.

Moi, j'ai là, jetés sur mon pont, une vingtaine de chenapans bons à rien, bons à tout ; triés soigneusement dans les pays où j'ai passé. Tous gens de sac mais de corde, race scorbutique, assez lâche, mais dure au mal et insouciante du danger par habitude.

Ils se soucient peu de moi et moi d'eux. Ils savent seulement que je les tirerais comme des pingouins, au

besoin ou à ma fantaisie. Tout ce qu'ils pouvaient récla-
mer à la loi c'est le bagne et, galère pour galère, ils
préfèrent la mienne.

Quand j'en ai assez, je les change comme du linge
sale, en les rendant, s'il me plaît, à leur patrie. C'est ce
qu'ils craignent le plus.

J'ai un Maltais, contumace partout, et un Yankee
dépendu. — En voilà deux qui manquent de pied à terre.
— Deux nègres décrochés d'un garde-manger royal au
Gabon. J'ai ensuite un cousin, forçat *in partibus*, dont
j'ai un vieux coup de couteau ; je lui ai fait, du reste
avec un rasoir, une croix sur la joue en souvenir ; puis un
petit voyou de Paris, un *loustic*, qui a une balle de mo
dans la mâchoire. Ces deux-là je les garde précieusemen
en échantillon pour effrayer les autres ; ce sont les plu
gentils de tous. — Le reste est à l'avenant : douze balei
niers américains pour les deux baleinières ; un bossu qu
sert de mousse, de cock, de chien et de porte-bonheur
un tigre de six mois qui sert de chat.

Dans ce ramas, j'ai pourtant des créatures à moi
quatre Bretons à têtes de taureau, quatre frères, tous le
quatre baptisés au berceau du nom de *Fanch'* et n'e
voulant pas démordre. Ce sont des hommes en barre, e
sur ceux-là, je peux dormir : mon second, le maîtr
d'équipage, le chef de timonerie et le capitaine d'armes

Pas d'uniforme ; tous gardent leur couleur. Seulement
tous portent au poignet gauche, tatoué à perpétuité
mon chiffre : un T barré.

Quelquefois, pour passer le beau temps, dans un port
je jette à quai cette bordée d'écume rougie. — Tout l
monde à terre pour une nuit ! — Ah ! c'est une nuit pou
la gendarmerie !... Et on rallie à l'aurore, tous bleus
éreintés, saignants, bienheureux.

———

L'autre jour, pendant un coup d'équinoxe, et bordail
lant par le travers de Douvres, il me prit idée de laisse

porter sur Saint-N... Arrivé en vue, la passe était presque impraticable, comme il arrive souvent là, et le navire pas mal désemparé. La jetée était couverte d'un monde avide d'émotions et cette entrée pitoyable fut, pour nous, comme un succès de théâtre.

J'allai le soir au Casino où je trouvai quelques connaissances et tout le *high-life* flottant des yachts de la Manche. (Il y avait eu la veille un *match* important.) Je fus présenté comme le patron du *Lougre* qui avait intrigué tout le monde. J'exposai, au milieu d'un groupe enthousiaste, ma théorie de navigation de plaisance. Je fus le *champion* du jour. Le grand Chose, un corsaire d'Argenteuil, me pilotait par le bras et je faisais assez mon Zampa de Casino.

Une jeune fille nous arrêta brusquement au passage, et, s'adressant à mon pilote :

« Ce gentleman, dit-elle, en me montrant du doigt, voudrait-il se faire présenter à mon père, pour moi? »

Je m'inclinai, et la présentation se fit au père, personnage muet du reste; on causa... C'était une Américaine, libre comme l'Amérique, jolie comme vos goëlettes, gentlemen, et blonde, mais blonde!... Le père s'appelait... Au fait que vous importe leur nom?

« Monsieur, me dit-elle, je vous trouve excentrique, vraiment.

— Moi aussi.

— Je trouve que vous ressemblez à votre bateau.

— Il est couvert d'avaries, miss...

— Splendid!... dites-moi, j'oserais vous solliciter de le visiter demain?

— C'est qu'il est bien triste à voir...

— Cela lui sied.

— Eh bien, barque et patron seront très-heureux de votre gracieuse visite, avec Monsieur votre père, à l'heure qu'il vous plaira demain...

— L'heure du lunch; mais mon père n'aime pas. Votre ami Chose plutôt? »

Cela fut fait le lendemain; l'Américaine se prit d'une grande passion pour le *Lougre*.

« Quel nom a-t-il?

— Un nom de femme, miss.

— Joli?

— Joli.

— Jolie?

— Jolie.

— Je ne le vois pas écrit là?...

— On a passé une couche de peinture noire par-dessus. »

Elle voulut parler à tous les hommes de l'équipage, et je lui présentai le chat-tigre qui, tout en *flirtant*, lui enleva d'un coup de griffe un morceau de la main.

« Oh l'amour! dit-elle.

— Miss, vous voilà comme mes gens, tatouée au poignet : vous êtes des nôtres...

— Je le veux, en vérité, *my captain!* »

Et, dans un élan tout marin, elle me fit promettre de l'emmener un peu faire la course, un jour de nuit, par un joli petit temps de sinistres.

J'hésitai...

« Vous avez peur, monsieur?

— Mais votre père?

— Content toujours. »

On en parla au père, qui dit : *All right!*

Les avaries réparées, je fis donc mettre le *Lougre* en grande rade, l'équipage consigné, en appareillage enfin. Mais un calme implacable. J'allais chaque soir coucher bord. L'Américaine m'accompagnait à regret jusqu'à la baleinière, me reprochant durement de ne pas savoir commander un peu de tempête pour deux.

Toute la plage était au courant; on pariait : Ils iront! Ils n'iront pas! Et toujours calme plat! Ma position devenait ridicule.

Enfin, le quatrième matin, belle apparence : une houle sourde, du ressac, des risées et des *haubans a soleil.* Le baromètre sautant à une hauteur stupide.

Je vins à terre :

« Miss, faites votre sac. »

Elle faillit me sauter au cou, et courut se mettre en *blue jacket.* Ce n'était pas un travesti de fantaisie, mais bien le paletot et le pantalon d'ordonnance achetés à un matelot en congé et appropriés à la hâte.

Dix heures. — Le baromètre baisse, l'enthousiasme monte. Le vent joue; on fait des paris au déjeuner : Ils iront! — n'iront pas!

Onze heures. — Le thé. Les paris se corsent, la brise aussi. Le sémaphore est à tempête. On chante :

Ami, la ma-tiné-e-est-belle...

MIDI. À bord!... Le vent n'attend pas. Le père, devant le Casino assemblé, remet solennellement sa fille à mon bon plaisir de gentleman et à ma délicatesse de matelot. Il a parié pour.

« Maintenant, mesdames et messieurs, si quelqu'un désire être des nôtres... Personne ne dit mot?... »

Et nos amis nous accompagnent de leurs paris et de leurs *hurrah!*

L'Américaine saute dans la baleinière et :

« Avant partout! »

La mer brisait déjà dans la passe; il fallait parer chaque lame, et du premier coup nous étions, malgré nos capotes cirées, traversés jusqu'aux os. Ce jeu dura bien deux heures avant d'atteindre le mouillage. Il était temps. Le *Lougre* fatiguait abominablement. La chaîne de la maîtresse ancre venait de se casser dans un coup de tangage en démontant le guindeau. Impossible de avoir l'autre.

« Attrape à appareiller en double. — Pare trois ris dans la misaine, deux ris dans le taillevent. — Le tourmentin à demi-bâton. — Voilà la toilette.

— Démaille la chaîne et file par le bout. Les ancres au fond, c'est plus simple.

— Hisse, étarque et borde partout. »

La lourde brise prend dans la toile avec un bruit de canon, la coque se gîte dans la lame, et nous voilà saillant de l'avant, piquant à quatre quarts dans le lit du vent avec un sillage de huit à neuf nœuds.

Le Casino a disparu dans une *grainasse*.

« Vous êtes toute mouillée, miss.

— Bah ! est-ce que la mer mouille ! »

Un de mes Bretons, Fanch', le plus fin timonier du bord, est à la barre ; elle le regardait effrontément.

« Homme beau ! » lui dit-elle en face.

L'autre ne sourcilla pas.

La brise fusillait maintenant ; le navire charroyait trop de toile et donnait de la bande ferme ; il fallait se cramponner aux haubans. L'avant *mettait le nez dans la plume* et se relevait à peine. Un paquet de mer nous couvrit de bout en bout.

« Vous êtes contente ?

— Tout plein ! »

Fanch', le maître d'équipage, vint à moi :

« Faut-il mollir, patron ? Nous encombrons à la douce..

— Quoi c'est *mollir*, monsieur ?

— Diminuer de voile, miss.

— Alors, je vous prie... Non... quoi c'est *encombrer*

— Ceci. »

Et je lui montrai le *beaupré* qui venait de se casser au ras, et le *tourmentin*, emporté au diable, comme un cerf volant...

« *Oh ! splendid sport !* » fit-elle.

Ni peur, ni étonnement. J'en étais même quelque peu vexé.

« Faut-il mollir, patron ?

— La dame ne veut pas, tiens bon.

— *Captain*, j'ai faim.

— Bossu, sers le lunch dans la chambre. Vous miss

tenez-moi bien pour descendre. Vous allez toujours changer vos vêtements. »

Il faut vous dire que j'étais assez vain de mes petits préparatifs : dans la soute aux voiles, toute une petite boutique de lingerie dévalisée en ville et arrimée par le Bossu, ma meilleure camériste. Il m'avait même rapporté triomphalement deux corsets hygiéniques de neuf francs. J'avais préparé moi-même un grand peignoir, pris en Orient, et des bas à coins brodés, souvenir oublié chez moi autrefois... bien autrefois.

On avait improvisé au fond du carré un sanctuaire discret avec un hunier de rechange tendu de haut en bas.

Elle ne fut pas longue à sa toilette! Elle sortit de là gréée de ma vareuse de corvée et d'un pantalon à Fanch', le capitaine d'armes. Et jolie!...

Et ça allait toujours, là-haut; on entendait les grosses bottes talonner sur nos têtes. L'Américaine mangeait solidement. La nuit tombait vite. Je pris la carte pour pointer la route. Elle suivait des yeux en fumant une cigarette.

« À présent, *captain*, allons prendre le frais.

— Impossible pour vous, miss, on vient d'amarrer les hommes de quart sur le pont.

— Eh bien! il faut me faire aussi...

— Oui, dans votre hamac. Voyez le bel ours qui vous attend là.

— Oui, superbe peau. Mais je ne veux pas dormir chez un homme; chez mon époux seulement, plus tard. Maintenant, je veux mettre ces grandes bottes qui sont là et monter avec sur le pont. Allons, aidez-moi. »

Il fallut bien. Étendue sur un caisson, elle tendait sa jambe. Heurtée, meurtrie par le roulis, elle m'avait empoigné le cou, et je travaillais de mon mieux. Le gros pantalon ne pouvait entrer dans les tiges; il fallut le couper au-dessus du genou avec mon couteau, qui ne coupait pas. Les damnées bottes montaient toujours;

elle se livrait avec une innocence de quartier-maître. Elle riait!... Je ne riais pas. Quel métier!

« Ne craignez pas, *captain*, je suis un matelot. »

Oui, j'étais bien amateloté! Elle m'étranglait, et j'étranglais, en conscience; le sang me montait à la gorge... Des scrupules!... Allons donc!... Seuls, au diable... roulés au hasard dans cette nuit perdue... Des scrupules!... et trois ris dans la misaine!... Sombrer pour sombrer...

« Je vous fais mal, monsieur?

— Un peu, miss. »

Ça ne fait rien, les bottes y sont!... De l'amour?... Allons donc! de l'amour à moi?... Elle est là-haut, mon amoureuse!... L'entendez-vous qui hurle après son amant, battant les flancs, secouant les mâts, écharpant la toile... On couchera peut-être ensemble ce soir... et la petite aussi, alors.

« Montons, miss. »

Elle ne pouvait tenir debout, vous pensez. Je la fis saisir par deux hommes et placer près de moi, amarrée.

« Tenez-moi bien! »

Et je lui passai mon bras comme une ceinture.

La tourmente était dans son plein. Nuit aveugle, une pluie cinglée, pas de ciel. Le pont noyé, la carène geignant lamentablement, et les cris de poulies, les craquements...

Sur l'avant, quelqu'un chante. C'est la voix du Bossu. Elle nous arrive sanglotée, par lambeaux...

Adieu, la belle, je m'en vas;
Adieu, la belle, je m'en vas...

Et les sifflements des rafales et le ronflement des manœuvres, le claquement des voiles...

Puisque mon bâtiment s'en va...

« Ouvre l'œil au bossoir!

— Ouvre l'œil... »

On ne s'entendait pas; nous avions la respiration coupée.

> *Puisque mon bâtiment s'en va,*
> *Je m'en vas faire un tour à Nantes,*
> *Puisque la loi me le commande...*

« Ouvre l'œil au bossoir!... »

Rien. Les hommes de bossoir, amarrés à leur poste, se sont endormis sous les coups de mer, accablés. On les fait revenir à coup de garcettes.

« Un quart de rhum au monde. »

L'Américaine, collée contre moi, ne bougeait pas.

« Moi aussi, murmura-t-elle, un quart de rhum?

— Oh!...

— En vérité! »

Elle but dans mon *quart*.

« Fanch', fais sonder aux pompes...

— Deux pieds d'eau, patron.

— Bon! »

À ce moment, nous vîmes, ou plutôt nous sentîmes passer une forme noire, monstrueuse. Tout le navire eut comme un frisson. L'Américaine fit :

« Ah!... »

Elle m'avait serré jusqu'au sang.

« Connu!... grogna le timonier.

— Vous dites « Connu! » vous, l'homme?

— Pardié!... le *Voltigeur hollandais*.

— Quoi c'est ça, *captain?*

— Le vaisseau fantôme, miss.

— Il n'y a pas de meilleur baromètre, ajouta Fanch'.

— C'est signe de quoi, l'homme?

— Un trou dans l'eau, mademoiselle.

— *Aoh! very charming! very very!... Charming!...* »

Ah! ça... est-ce qu'elle serait bête?

Nous étions mangés par a mer. Je tenais toujours
l'Américaine, qui se laissait aller sur mon épaule endo-
lorie; j'entendais, contre mon oreille, ses dents, comme
des pierres de meule, broyant un biscuit de ration. Ses
cheveux mouillés fouettaient ma joue en feu; j'en avais
plein la bouche, et je les mordais; ils étaient tout salés
de poudrin, et je buvais... Ce poison, l'odeur de femme,
m'emplissait les narines. Plus rien... L'abîme, c'était ses
yeux; la tempête, c'était son haleine. La lampe d'habi-
tacle jetait par instant sur nous un éclair tremblotant,
tout le reste me semblait de l'autre monde. Je sentis
passer en moi comme un souffle de beauté, et je mis sur
sa bouche un baiser léger, bien léger...

Elle dormait, parbleu.

« Quoi? fit-elle en sursaut.

— Rien : le taille-vent enlevé. »

Ç'avait été comme un coup de fouet sur nous, puis
un frou-frou de soie là-haut.

« Le taille-vent enlevé!... Barre dessous toute!... »

Le timonier tomba sur nous comme une masse.

« Tu es soûl! »

Il était mort; l'écoute, en partant, l'avait cinglé.
C'était fini de rire. Je sautai sur la barre avec le maître.
Heureusement le navire tenait bien la cape sous sa
misaine seule.

— Tiens bon toujours.

« Miss, il faut descendre dans la chambre.

— Non.

— Je suis le maître.

— Je suis libre.

— Je vais vous faire coucher par le Bossu.

— Oh!... »

Elle était indignée.

« Hô, Bossu, ici.

— Vous êtes un lâche, monsieur! »

Et elle descendit sans vouloir se laisser aider.

Il était cinq heures du matin. Cette dernière saute de vent était l'agonie de la tourmente qui tomba à plat comme tuée. Le jour tardait, seulement la nuit devenait grise et plus épaisse. De la brume, il ne manquait plus que ça! Cela ne manqua pas; et du calme, ce calme atroce qui succède aux grandes crises. Le navire, ne sentant plus sa voilure ni sa barre, roulait bord sur bord à tout arracher, souffrant dans toutes ses coutures et faisant de l'eau comme un panier. Les voiles et les agrès flasques battaient lourdement sur les mâts secoués.

Nous étions jolis! Sur le pont, les deux baleinières aplaties et crevées, les bastingages rasés. Les hommes, rendus, couchés en vache comme des cadavres, heurtant partout au roulis; l'autre aussi, le mort, parmi les autres, la moitié de la tête enlevée, et promenant ses petites flaques d'eau rosée.

« Fanch', faisons-nous de l'eau toujours?

— Joliment, patron.

— Fais gréer les pompes. »

Et alors ce bruit monotone et sinistre...

« Attrape à laver le pont! Un quart d'eau-de-vie au monde! »

Personne ne bougea.

« Attends un peu, dit Fanch', je vas te prendre la mesure d'une robe de chambre avec une trique. Hop, les amoureux! »

On commença la toilette. Dégager le pont, réparer le gréement et enverguer des voiles de rechange.

Je descendis rendre visite à ma passagère. Elle était couchée, tout habillée, dans un cadre, avec le tigre-chat qui me montra les dents. Elle avait pris un petit air de galérien tout à fait angélique.

« Monsieur, me dit-elle, où sommes-nous?

— Dans la brume.

— Pour retourner, j'espère?

— Nous attendons; pas de brise et pas de vue.

— Ah! »

Ce *Ah* était d'une insolence!...

« Voulez-vous déjeuner, miss?

— Merci, je veux m'en aller.

— Soit : débarquez. Libre à vous. »

J'étais énervé à la fin.

« Monsieur, assez, je vous prie; je vous dis, je veux être à terre.

— Et moi donc! »

Je remontai sur le pont, mécontent et quelque peu inquiet, ne pouvant reconnaître notre position, et le navire ne gouvernant pas. Je voyais seulement, au compas affolé, que nous étions drossés par un courant. La mer hachée et affreusement dure. Tout souffrait à bord.

L'Américaine ne donna pas signe de vie. Un novice était chargé de son service. Elle avait outrageusement renvoyé le pauvre Bossu, ma plus fine soubrette pourtant... J'évitai d'aller la voir; et je lui en voulais de n'avoir pas trouvé un bon mouvement dans tout cela. Intrépide et bête... et trop jolie pour elle, cette Yankee. C'était de la beauté perdue.

Vers midi, dans une éclaircie, nous aperçûmes la silhouette démesurée d'un cotre; il était presque sur nous et nous héla :

« Ship, ohé?

— Hô?

— A pilot?

— Yes. Accoste.

— French?

— Oui. Et vous?

— Guernsey. Pour où, vous?

— Saint-N...

— Combien?

— Dites.

— Quinze livres.

— Non.

— Good night!

— Dix livres.

— All right. »

Cinq minutes après, le pilote accosta dans son *you-you* et sauta à bord.

« *Good morning, captain.* Navire de guerre?

— Aventurier.

— Connaissez-vous votre position?

— Non.

— Il était temps. Heureusement la brise se fait. Nous allons pouvoir orienter.

— Un grog, pilote?

— Hein, captain, je parie que, dans ce moment, je vous fais plus de plaisir qu'une belle fille? »

L'animal, il ne savait pas dire si vrai, avec sa bonne grosse figure en jambon d'York.

Enfin, sur le soir, la brise se leva, une brise carabinée.

Nous pûmes prendre connaissance des feux et faire route en forçant de toile. Le lendemain matin, nous attrapions Saint-N... et nos bouées d'ancres.

J'avais oublié l'Américaine. Elle me fit demander de la mettre de suite à terre avec le pilote. Je demandai la permission de l'accompagner; elle me fit répondre que *j'étais le maître.*

C'était l'heure du bain sur la plage. Nous avions été signalés. On nous entoura, on avait eu des inquiétudes, etc. Le père sembla ne pas avoir remarqué nos deux jours de retard. Il me remercia solennellement, avec une nuance de bénédiction, et, me prenant la main, il cherchait celle de sa fille. Elle était montée chez elle.

Je me retirai aussi. Ce bonhomme avait déjà presque l'air de vouloir me traiter de Turc à More, de beau-père à gendre!

Voilà pourquoi, au soleil couchant, on put voir le *Lougre* à voiles noires appareiller silencieusement et se perdre dans l'ombre comme le *Voltigeur Hollandais*. Un véritable enlèvement! Je m'enlevais moi-même...

... Et dans l'effort de la lutte, — vous pensez si je me
défendais! — je m'éveillai...

Car tout ceci n'était qu'un rêve, un abominable cauchemar.

Trist.

L'ATELIER

Un atelier de peintre sans peinture. Les [murs] quatre
murs se renvoient un découragement innommable [ou
immuable]. Il n'y a rien, mais il y a du désordre et des
clous [?].

On frappe à la porte depuis cinq minutes. On crie...
Il est une heure ou une autre d'une journée quelconque,
témoin un coucou sans aiguilles, accroché au mur contre
une porte. [Eh bien, quoi] Il y a une [Eh bien ouvre]
soupente à côté, avec un lit et, dedans, un jeune homme
[qui méd] dans une pose de méditation avec une chaussette d'une main. Il n'est pas beau, mais il est [très] fière-
ment laid. Il songe pourtant qu'il est trop laid pour se
lever. Le soleil [, qui est beau, n'est pas levé non plus] ne
se lèvera pas non plus aujourd'hui. À quoi bon?

On frappe, du reste, [depuis] activement.

« Eh bien entrez!

— Mais c'est fermé...

[— Ah!] Le jeune homme à la chaussette se lève et va
ouvrir.

— Bonjour, cousin.

— Tiens! c'est toi?

— Tu me laisses frapper comme tes créanciers! —
Mon ami, M. de L.

— Monsieur...

— Monsieur... Asseyez-vous, je vous prie.

— Où?

— Mais... partout!

— Il n'y a pas seulement une chaise...

— Tu étais encore au lit : est-ce que...?

— Ma foi, non. Je couche, comme ça, pour moi seul... Enfin...

[— Ah! c'est que vous]

— Ne te défends pas! On sait, vous autres, les artistes... Les modèles, les actrices...

— Pourquoi pas les acteurs?

— C'est [ça, vous vous imaginez donc] que c'est votre métier d'être toujours comme ça; et vous croyez ça, vous autres jeunes hommes vierges...

— Vierges? Oh, oh, dites donc!

— Monsieur!

— Monsieur! Oui, vierges! — Voyons! Parce que tu as été raccroché par une fille ou deux, tu t'imagines n'être plus vierge? Mais il y a d'honnêtes pères de famille qui seront toujours vierges.

— Oh! Monsieur est paradoxal!

— Oui, Monsieur, j'ai beaucoup d'esprit, mais je ne le sers, du reste, que très peu.

— Et vous faites des beaux-arts, m'a dit Monsieur?

— Oui... De la peinture contemplative.

— Peut-on voir quelque...

— Oh! c'est bien simple : regardez par la fenêtre. Je ne fais guère autre chose.

— Alors, vous n'êtes pas au Salon cette année?

— Non, Monsieur, j'étais au lit.

— Il paraît que le jury a été très sévère cette année.

— [Je] [Sévère, mais juste; mais, juste, il ne l'était que l'année dernière] J'ai pourtant plusieurs de mes amis qui ont tous été acquittés. »

Pendant ce temps, le cousin fouille partout, essaye des

cigarettes, retourne des cartons et se pique avec [une flèche] un criss malais.

« Diable! Est-ce que c'est empoisonné?

— Ma foi, je ne sais pas!

— Diable! — Voyons... Viens-tu déjeuner? [*illisible*] Habille-toi. Tu dîneras à la maison; puis nous irons au théâtre, dans les coulisses, dis?

— Ma foi, pour le moment, je ne connais pas de coulisses.

— Allons donc! toi?

— Ah, oui : les modèles, les actrices... Vierge, va! [n'importe,... tu... viens donc, tu n'as rien à faire qui te retient]. Ce sont tes nombreuses occupations qui te retiennent.

— Je n'en ai qu'une, qui me prend tout mon temps : *ne rien faire*.

— Eh bien, bonsoir.

— Bonne nuit. »

Il referme la porte un moment, pour la forme.

« Crétins! — Voyons... Il est une heure. Elle vient vers deux heures. Habillons-nous. On frappe encore : tiens, elle avance. »

Ouvrant la porte et tendant les bras :

« Viens, toi!...

[— Pardon escusse... votre... chercher (?) avant-hier pour être pieds nus. Croyez-moi. Monsieur Schmit [?]...

— Oui, je...

[— Permettez...]

— Je viens pour cette petite note...

— Ah, très bien! Je vous attendais presque. Asseyez-vous donc. — C'est si haut!

— Oui, mais je cherche une chaise.

— Ah! je n'en ai pas : je reçois si peu!

— Mais, vous?

— Oh, moi, je me couche à l'antique. Voulez-vous faire comme moi, Monsieur?

— Non, Monsieur. Mais, je viens pour ma petite fac-
ture...

— Allons, bon! l'immortelle scène de Monsieur
Dimanche!

— Allez, Don Juan!

— Avez-vous lu Murger, Monsieur?

— Non, Monsieur.

— Eh bien, je vous le prêterai. »

ÉBAUCHE DE NOUVELLE

[. . . . .] le monde envers sa femme. Le temps
passe aussi. J'ai cent sous. Et je vois à travers les vitres
des gens qui mangent [ça a l'air très bien, c'est enga-
geant]. J'entre avec mon argent. On me met à la porte.
C'était une famille de lampiste dînant dans son arrière-
boutique.

[. . . . .] pourquoi ne serais-je pas lampiste [?] Je saurais dîner!

De ces gens qui n'ont jamais le sou, et qui, réunis
quelque part font de l'argent et s'asseyant sur le velours,
crient : un bock! et commencent une partie de piquet au
bruit assourdissant de 10 billards. Elle restait là, rêvant
[à l'atelier] à ces bonnes soirées des mauvais jours dans
l'atelier parmi les [jolis] bohèmes de Murger, sa bohème
à elle, si fine [?] dans le malheur, sa philosophie dans
leur abrutissement, si [particulière dans leur débraillé]
légère dans leur cynisme

FRAGMENT EN PROSE

que d'air, que [d'oubli] de vide là-dedans [et aussi que
de souvenir...] toujours l'autre.
jetons-y des pierres qui ne feront pas même un rond.
hier une jolie fille m'a regardé d'un air drôle. Si je lui
offre ma vie elle me demanderait pour quoi faire...

PARADE   (oubliée)

Place S.V.P. Provinciaux
de Paris & Parisiens de
Carcassonne !
        Et toi, va mon Livre —
Qu'une femme te corne,
Qu'un fesse-cahier te
fesse, qu'un malade
te sourie !
        Reste pire —
            tes moyens te le permettent.
        Dis à ceux
du métier que tu es un
monstre d'artiste...
Pour les autres : 7 f. 50.
        Va mon livre & ne
me reviens plus.

T

Dossier

VIE DE TRISTAN CORBIÈRE

1845. 18 juillet. Naissance à Coat-Congar, dans la commune de Ploujean, près de Morlaix, en Bretagne, de Édouard-Joachim Corbière (qui choisira plus tard le prénom de Tristan) — fils d'Édouard-Antoine Corbière (1793-1875) — marin, journaliste, romancier, et de Marie-Angélique Puyo (1826-1891). Enfance heureuse dans la propriété du Launay, proche de Coat-Congar.

1850. Naissance de sa sœur Lucie.

1855. Naissance de son frère Edmond. *Le Négrier*, roman le plus célèbre de son père, est réédité pour la quatrième fois.

1859. Tristan quitte l'école de Morlaix, entre en pension au Lycée Impérial de Saint-Brieuc; souffre de tout et de tous. Premières crises de rhumatismes articulaires. Il travaille peu, s'intéresse surtout aux littératures françaises et latines.

1860. Février. Corbière écrit l'*Ode au chapeau* de son professeur d'histoire, le plus ancien poème connu de lui. En août, pour des raisons de santé, il quitte le Lycée de Saint-Brieuc. Il sera externe au Lycée de Nantes, en octobre, et habitera chez son oncle, le docteur Chenantais.

1862. Violente attaque de rhumatismes et premiers symptômes de tuberculose. Tristan doit abandonner ses études. Séjours à Cannes et à Luchon, avec sa mère, pour essayer, en vain, de rétablir sa santé. Retour à Morlaix. Lecture de Baudelaire, Byron, Hugo, Musset, Lamartine, sans doute Villon, et des œuvres de son père, qui le marquent profondément. Écrit des satires, fait des farces, dessine.

1863. Sur le conseil du docteur Chenantais, Corbière s'installe à Roscoff, dans la maison de vacances de ses parents. Il y mènera une vie libre de tout souci matériel. Fréquente les marins, l'auberge Le Gad où il rencontre, l'été, quelques peintres parisiens : Gaston Lafenestre, Jean-Louis Hamon, Camille Dufour, Charles Jacque. Tristan a la passion de la mer. Il aime s'y risquer, par gros temps, sur son cotre *Le Négrier;* se déguiser en corsaire, coiffé d'un large feutre, chaussé de cuissardes.

1864-68. Période peu connue de son existence. Ses nombreux canulars effarouchent les Roscovites. La pâleur de son visage, la maigreur de son corps rongé de phtisie lui valent le surnom d'*An Ankou* (le spectre de la mort). Composition de *Gens de Mer*.

1869. De décembre à la fin de mars 1870, Corbière voyage en Italie en compagnie des peintres Benner et Hamon. Naples, Castellamare, Sorrente, Capri (où il dessine sa propre caricature sur le registre de l'hôtel Pagano) et Rome. A mi-avril, retour à Morlaix. Le poète, en costume d'évêque, bénit de son balcon la population scandalisée. Retrouve enfin Roscoff.

1871. Au printemps, arrivée chez Le Gad du comte Rodolphe de Battine, accompagné d'une actrice italienne, Armida-Josefina Cuchiani, dite Herminie, sa maîtresse. Coup de foudre de Tristan pour Herminie, qu'il baptisera « Marcelle ». Il se lie avec le couple, l'invite à des promenades en mer sur *Le Négrier* puis sur un yacht, *Le Tristan.* Il compose *La Pastorale de Conlie* et *La Rapsode foraine.* En octobre, Marcelle et Rodolphe regagnent Paris. Corbière désemparé écrit les poèmes des *Amours jaunes.*

1872. Il s'installe à Paris, au printemps; habite la Cité Gaillard, à Montmartre, proche de l'appartement de Marcelle. Ensuite au nº 10 de la rue Frochot (IXᵉ). Il reçoit de sa mère une pension mensuelle de 300 francs. Son entourage : les peintres Dufour et Lafenestre, son cousin Le Bris, Marcelle et Rodolphe qu'il voit chaque jour. En juin, ils seront tous les trois à Douarnenez, en novembre à Paris. Tristan écrit *Sérénade des Sérénades,* dessine des caricatures.

1873. De mai à octobre, six numéros de *La Vie parisienne* publient des poèmes de Corbière. En août, *Les Amours*

jaunes paraissent, à ses frais, chez les frères Glady.
Le livre passe inaperçu. Il sera tiré de l'ombre, dix ans
plus tard par Verlaine, dans son étude des *Poètes maudits*.

1874. Séjour au château des Aiguebelles, dans la Sarthe,
chez le comte de Battine. Dernier été à Roscoff, avec
Rodolphe et Marcelle. Publication, dans *La Vie parisienne* de deux proses de Corbière, *Casino des Trépassés*
(26 septembre) et *L'Américaine* (28 novembre). Ce
même mois, il revient à Paris, où son état empire.
Le 20 décembre au matin, on le trouve inanimé dans
sa chambre. Ses amis le transportent à l'hôpital Dubois.
Marcelle le veille. Sa mère le ramène à Morlaix le
6 janvier.

1875. Le dernier jour de février, il se fait apporter des bras-
sées de bruyère. Le lendemain 1er mars, à dix heures du
soir, Corbière meurt, dans sa trentième année.

   27 septembre : mort de son père, Édouard-Antoine
Corbière, âgé de quatre-vingt-deux ans.

NOTE DE L'ÉDITEUR

En l'absence de tout manuscrit ou même d'épreuves d'imprimerie des *Amours jaunes*, le seul principe est de s'en tenir strictement au respect de l'originale. C'est d'ailleurs le parti adopté, avec des fortunes diverses, par les différents éditeurs depuis 1873. Corbière avait revu, corrigé et enluminé un exemplaire de son livre en vue d'une réimpression. Nous avons pu consulter une photocopie de l'ouvrage et tenu compte des repentirs, peu nombreux, qu'il y apporta. Par contre, il n'a pas corrigé les coquilles qui fourmillent dans son texte et dont on trouvera le relevé dans l'édition critique procurée par Pierre-Olivier Walzer (Bibliothèque de la Pléiade, p. 692 à 695). Mais la difficulté principale, celle à laquelle se heurte toute réédition des *Amours jaunes*, réside aussi bien dans les libertés prises par Corbière vis-à-vis du genre ou de l'orthographe, que dans la singularité de la ponctuation. Jules Laforgue relèvera ainsi les subtilités d'une orchestration où surabondent « les lignes de points de suspension, de réticence et d'en allé, les tirets d'arrêt, les virgules, les : d'attention! et doubles points d'exclamation ».

Nous nous sommes attaché à conserver cette volonté du poète. Notre texte diffère ici légèrement de celui établi par P.-O. Walzer, auquel nous tenons à rendre hommage. À la suite du recueil des *Amours jaunes*, nous publions toutes les pièces retrouvées de Corbière, selon l'ordre retenu dans la Bibliothèque de la Pléiade, que nous avons utilisée, avec les études d'Y.-G. Le Dantec, pour l'annotation réduite de cette édition.

J.L.L.

NOTES ET VARIANTES

LES AMOURS JAUNES

Page 17.   À MARCELLE
                       Le poète et la cigale

La muse que Tristan a baptisée Marcelle se nommait, en
réalité, Armida-Josefina Cuchiani. C'était une Italienne
blonde aux yeux bleus qu'il avait rencontrée au printemps
de 1871 à Roscoff où elle séjournait en compagnie de son
amant, le comte Rodolphe de Battine. Le poète s'éprit
d'elle aussitôt (voir chronologie p. 278).

ÇA

Page 21.   ÇA ?

Paulin Gagne (1808-1876) : avocat excentrique. Se pré-
sentait à toutes les élections comme « candidat surnaturel,
universel et perpétuel ». Pendant le siège de Paris, il proposa
de combattre la famine en exterminant tous les vieillards
de plus de soixante ans, dont il était lui-même. Auteur
intarissable, il écrivit entre autres une *Unitéide* et un poème
de 3 000 vers sur *Le Suicide*.

Préfecture de police, 20 mai 1873 : les lieux et dates
indiqués par Corbière à la fin de ses poèmes sont presque
toujours, comme ici, imaginaires.

Page 24.   PARIS

Poète — Après?... Il faut *la chose* :
« Au mot-fétiche du Romantisme : Poète, Corbière assi-
mile le concept familier de chose : ce qu'il faut pour obtenir

le premier prix des Jeux floraux, ce sont procédés qu'il vaut mieux ne pas nommer. N'accèdent au véritable Parnasse que les dégoûteux, les fous à lier, les bedeaux ou celui que recommande sa chlorose : la farce littéraire confond et accueille sur le même tréteau pompeux, la platitude et l'excentricité. » Christian Angelet *(La Poétique de Tristan Corbière, 1961)*.

Page 26.   *Monsieur Vautour :* comédie en un acte de Désaugiers et Gentil (1811).

Page 28.   ÉPITAPHE

Une autre version fut révélée, en 1891, dans le numéro 58 de *La Plume* et la seconde édition des *Amours jaunes* (Vanier) :

ÉPITAPHE
POUR
TRISTAN JOACHIM-ÉDOUARD CORBIÈRE,
PHILOSOPHE, ÉPAVE, MORT-NÉ

Mélange adultère de tout :
De la fortune et pas le sou,
De l'énergie et pas de force,
La Liberté, mais une entorse.
Du cœur, du cœur! de l'âme, non —
Des amis, pas un compagnon,
De l'idée et pas une idée,
De l'amour et pas une aimée,
La paresse et pas le repos.
Vertus chez lui furent défauts,
Âme blasée inassouvie.
Mort, mais pas guéri de la vie,
Gâcheur de vie hors de propos
Le corps à sec et la tête ivre,
Espérant, niant l'avenir,
Il mourut en s'attendant vivre
Et vécut s'attendant mourir.

LES AMOURS JAUNES

Page 34.   BOHÈME DE CHIC

Str. XI, v. 2 (p. 36) : Aux bornes que je voi : orthographe voulue par Corbière (rime voi - roi). On retrouve la même anomalie dans le poème *Vendetta* de *Sérénade des Sérénades* (p. 81, str. 5, v. 2) : Beaucoup plus qu'elle, je croi (rime croi - moi)

Page 39. I SONNET

La seconde édition Vanier de 1891 donna cette variante parue dans *La Cravache parisienne* en 1888 :

SONNET
(inédit)

Je vais faire un sonnet; des vers en uniforme
Emboîtant bien le pas, par quatre, en peloton.
Sur du papier réglé, pour conserver la forme
Je sais ranger les vers et les soldats de plomb.

Je vais faire un sonnet; jadis, sans que je dorme,
J'ai mis des dominos en file, tout au long.
J'ai suivi mainte allée épinglée où chaque orme
Rêvait être de zinc et posait en jalon.

Je vais faire un sonnet; et toi, viens à mon aide,
Que ton compas m'inspire, ô muse d'Archimède,
Car l'âme d'un sonnet c'est une addition

1, 2, 3, 4, et puis 4 : 8 — je procède
Ensuite 3 par 3 — tenons Pégase raide,
Ô lyre! ô délire! oh! assez! attention.

Page 41. STEAM-BOAT

Str. V, v. 3 : poudrain : embrun.

Page 42. PUDENTIANE

Pudentiane : sainte-nitouche.

Page 43. APRÈS LA PLUIE

Str. VI, v. 6 : la marquise d'Amaëgui : *L'Andalouse* de Musset *(Premières poésies)*.
Str. IX, v. 1 : doña Sabine : allusion à la pièce de Hugo, *Guitare* (*Les Rayons et les Ombres*, XXII).

Page 46. À UNE ROSE

Str. II, v. 3 : papier-Joseph : ancien nom du papier de soie.
Str. IV, v. 3 : pastille-du-sérail : parfum à brûler.
Str. IX, v. 3 : Aï : vin de Champagne du territoire d'Aï (ou Ay).

Page 51. UN JEUNE QUI S'EN VA

Str. XVII, (p.54), v. 1 : Hégésippe Moreau, « créateur de l'art-hôpital », poète romantique (1810-1838) mort poitrinaire à l'hôpital de la Charité où il fit de nombreux séjours.

Str. XVIII, v. 1 : Victor de Lasserre, dit Victor Escousse (1813-1832) : poète romantique. Se suicida avec son ami Auguste Lebras, à la suite de l'échec d'une pièce, *Raymond*, qu'ils avaient écrite ensemble.

Str. XVIII, v. 3 : Nicolas Gilbert (1751-1780) : poète romantique. Auteur des *Adieux d'un jeune poète à la vie*.

Str. XIX, v. 1 : Lacenaire : criminel célèbre, exécuté en 1836. Ses *Mémoires, poèmes et lettres* furent réédités en 1968 (Albin Michel). André Breton lui fit place dans son *Anthologie de l'humour noir*.

Str. XIX, v. 4 : Sanson : le bourreau de la Révolution.

Str. XXI, v. 2 : Ceci tuera cela : titre du deuxième chapitre du Livre cinquième de *Notre-Dame de Paris*.

Page 55. INSOMNIE

Str. V, v. 5 et 6   L'âme de Messaline impure
                    Mais pas rassasiée encor.
                                    (Manuscrit Marc Loliée.)

Page 59. FEMME

Variante relevée, au dernier vers, sur l'exemplaire personnel de Corbière :

        Une nuit blanche... un drap sali.

Page 64. LE POÈTE CONTUMACE

On trouvera, dans *Une mort trop travaillée* (voir Poèmes retrouvés p. 237. Str. I.) une variante de la 8e strophe. Une autre version de cette strophe figure sur un portrait de Corbière par lui-même. Ces vers ne font pas partie de la pièce citée par Vanier dans la seconde édition : *Sous un portrait de Corbière* :

            Peut-être à peu près un artiste,
            Peut-être un poète à peu près,
            S'amusant à prendre le frais
            Au large de l'humaine piste.

SÉRÉNADE DES SÉRÉNADES

Page 77.   **CHAPELET**

Orthographe correcte : perfección, circuncisión, crucifixión, ascensión.

Page 81.   **HEURES**

Dans *La Poétique de Tristan Corbière*, Christian Angelet souligne le « caractère hautement prophétique » de cette pièce qui « ne pouvait que passer inaperçue en 1873 : l'ébranlement qu'elle fait subir à la structure poétique ancienne, à tous les canons, à toutes les habitudes, est d'une importance autrement considérable que le renouvellement par le burlesque résultant de la tendance à la dépoétisation concrète ».

Page 82.   **CHANSON EN SI**

Dernière strophe : variation sur une des poésies « espagnoles » de Musset, *Madrid :*

> J'en sais une, et certes la duègne
> Qui la surveille et qui la peigne
> N'ouvre sa fenêtre qu'à moi (...)

Page 84.   **PORTES ET FENÊTRES**

Str. IV : Souvenir de *L'Andalouse* de Musset :

> Je veux ce soir des sérénades
> À faire damner les alcades
> De Tolose au Guadalété.

RACCROCS

Page 95.   **À MON CHIEN POPE**

Jean de Trigon, dans son *Tristan Corbière* (1950), donne une version primitive de ce texte :

> Toi : ne pas suivre en domestique,
> Ni lécher en fille publique,
> N'être pas traité comme un chien,
> Tu le veux! — Je te comprends bien —
> *Chien*   *et tu fais bien*
>
> Chien, il ne faut pas connaître
> Ta jatte-à-soupe ni ton maître.

Ne marche jamais sur les mains
Chien, c'est bon pour les humains !

Pour l'amour, qu'à cela ne tienne,
Aime plusieurs, pas *une* chienne
Mords tant que ça t'amusera,
Car demain peut-être sera
Une balle en plein dans *La Bête.*
Jusque-là, m'entends-tu, fais tête
Aux fouets qu'on te montrera. —

Garde vierge ton chic sauvage :
     Hurler nager. —
Et, si l'on te fait enrager.
     Enrage !

Page 96.   À UN JUVÉNAL DE LAIT

Épigraphe de Virgile (*Bucoliques*, IV, 60) : Les points de suspension suppriment le mot *matrem.* Traduction : « Commence, jeune enfant, à connaître ta mère à son sourire. »

Page 97.   À UNE DEMOISELLE

Str. I, v. 1 : osanore : désigne en chirurgie dentaire, une dent artificielle en ivoire.

Str. III, v. 3 : plangorer : « crier sa douleur ». Néologisme créé par Corbière à partir du latin plangor.

Page 99.   RAPSODIE DU SOURD

Dans la bibliographie de sa première étude sur Corbière (Mercure de France, 1904), René Martineau a reproduit une copie, faite sur un brouillon, d'une version antérieure de ce poème, aux variantes importantes :

LA SCIE D'UN SOURD

Le médecin lui dit : « Très bien restons-en là,
Le traitement est fait : vous êtes sourd — voilà
Comme quoi vous avez cet organe de perdu. »
Et Lui comprit trop bien, n'ayant rien entendu.

« C'est très drôle, mon Dieu, vous daignez donc me rendre
Le cerveau comme un bon cercueil,
Par raccroc, à crédit, je vais pouvoir entendre
Comme je fais le reste : — *à l'œil !* —

« Mais gare à l'œil. Alors ! jaloux, gardant la place
De l'oreille au clou... Non, à quoi sert de braver,

Moi qui sifflais si haut le ridicule en face?
En face et bassement, il pourra me baver.

« Je suis un mannequin à fil banal. — Demain
Dans la rue un ami peut me prendre la main,
En me disant : " Vieux pot!... vieille huître! " En radouci,
Et je lui répondrai : " Pas mal et vous, merci! " ·

« C'est un bonnet de laine enfoncé sur mon âme
Et (coup de pied de l'âne, hue!) une bonne femme
Sous mon nez peut me plaindre à pleins cris, à pleins cors,
Sans que je puisse au moins lui marcher sur ses cors.

« Bête comme une vierge et fier comme un lépreux,
Quand je suis dans le monde, on dit : " Est-ce un gâteux,
Est-ce un anthropophobe, un poète à rebours? "
Et en haussant l'épaule : " Ah! ça non, c'est un sourd. "

« Ridicule tourment d'un Tantale acoustique!
Il voit voler des mots que je voudrais manger
Comme un crève-de-faim reluque la boutique
D'un restaurant *chicard*, au lieu d'un boulanger.

« Oh que ne puis-je encore entendre, sur du plâtre
Une coquille d'huître; un rasoir, un couteau
Grinçant dans un bouchon ou limant de l'albâtre,
Un os vivant qu'on scie, un discours, un piano!

« Mon revolver, encor, me pourrait à l'oreille
Cracher un demi-mot, comme un vague écho lourd
Dans la suite à demain. Mais demain ne s'éveille
Jamais... jamais, demain est encor bien plus sourd.

« Va donc, balancier soûl affolé dans ma tête,
Bats, en pantenne, à faux, ce vieux tam-tam fêlé
Pour qui la voix de femme est comme une sonnette
Ou, si le timbre est doux, un moucheron ailé.

. . . .

« Je lâche ma pensée en mots qu'en l'air je jette
De chic et sans savoir si je parle en *Indou*
Ou peut-être en *Canard* comme la clarinette
D'un aveugle trop bu qui se trompe de trou. »

Page 101.   FRÈRE ET SŒUR JUMEAUX

Une première ébauche de cette pièce fut également repro-
duite d'après un brouillon par René Martineau:

VIEUX FRÈRE ET SŒUR JUMEAUX

Ils étaient tous deux — seuls — oubliés là par l'âge...
Ils cheminaient toujours, tous les deux, à longs pas,
Longs et poilus tous deux, l'air piteux et sauvage,
Et deux pauvres regards qui ne regardaient pas.

Ils avaient tous les deux servi dans les gendarmes :
La sœur à la marmite et l'Autre sous les armes,
Sa sœur le débottait, astiquait les boutons.
Elle avait la moustache et l'Autre les chevrons.

Un dimanche de mai que tout avait une âme,
Qu'un Dieu bon respirait dans le paradis bleu,
Je flânais dans les bois — seul — seul avec la femme
Que j'aimais — pauvre diable — et qui s'en doutait peu.

De sa manche le vieux tirant une musette,
Soufflait comme un sourd et sa sœur dans un sillon,
Grelottant au soleil, écoutait un grillon
Et remerciait Dieu de son beau jour de fête.

Pauvre virginité! — ô retour dans l'enfance,
Tenant chaud l'un à l'autre ils attendaient le jour,
Ensemble pour la Mort, comme pour la naissance...
Dites-moi, vieux jumeaux, cela vaut bien l'amour?

Mais celle que j'avais à mon bras voulut rire,
Et moi, pour rire aussi de mon émotion,
J'eus le cœur d'appeler les vieux jumeaux : — Tityre!

. . . .
Et j'ai fait ces vieux vers en expiation!

Page 103.   LITANIE DU SOMMEIL

L'épigraphe est inspirée de ce passage de *Macbeth* (acte II, sc. II) :

> Methought I heard a voice cry : sleep no more!
> Macbeth does murder sleep, the innocent sleep...

Pour les surréalistes, *Litanie du sommeil* est le premier exemple d'écriture automatique. Dans son *Anthologie de l'humour noir*, André Breton écrit : « Corbière doit être le premier en date qui se laisse porter par la vague des mots qui, en dehors de toute direction consciente, expire chaque seconde à notre oreille et à laquelle le commun des hommes oppose la digue du sens immédiat. »

Jean Rousselot, dans son étude sur Corbière (Seghers, 1951), insiste sur « la nouveauté prophétique de ce poème » : Rimbaud n'a pas encore écrit les *Illuminations*, Lautréamont n'a pas encore publié *Maldoror*.

Page 105.

Falourde : fagot, ou ici : lanterne.

Page 107.

Plangore : voir la note de la page 97 *(À une demoiselle)*.

Chibouck : pipe à long tuyau.

Page 109. IDYLLE COUPÉE

Str. VI, v. 1 : mannezingue : en argot, marchand de vin.
Str. VI, v. 2 : Polyte, pour Hippolyte, nom populaire du voyou. Arthur : l'amant de cœur.
Str. VI, v. 3 : brandezingue : mot-valise, formé de brandevin et de brindezingue (ivresse).
Str. VI, v. 4 : dos-bleu : souteneur.

Page 110.

Str. XIII, v. 1 : Persil : en argot, l'allée des Acacias, au Bois de Boulogne, où se promenaient les filles galantes. Par extension, l'exercice « professionnel » de leur promenade.

Page 111.

Str. XVI : Galimard, Ducornet : peintres célèbres du second Empire.

Nicolas-Auguste Galimard (1813-1880) : élève d'Ingres.

Louis-César Ducornet (1806-1856) : né sans bras, peignait avec ses pieds.

Page 112.

Str. XXVI, v. 2 : louper : flâner.

Page 112. LE CONVOI DU PAUVRE

Str. II, v. 2 : la Cayenne : le cimetière.

Page 113.

Dernier vers : courbet : grande serpe.

Page 114. DÉJEUNER DE SOLEIL

Str. I, v. 2 : Persil : voir la note de la page 110.

Page 116. VEDER NAPOLI POI MORI

On connaît deux autres versions de ce poème : l'une, avec le même titre, publiée sans signature dans *La Vie parisienne* du 24 mai 1873, avec des variantes mineures; la seconde, relevée sur un brouillon et publiée par René Martineau en 1904 :

VEDERE NAPOLI E MORIRE!

Ici l'on peut mourir, c'est Naples, l'Italie !
O caisse d'orangers qui sont des citronniers !
Ah ! sur ton sein l'artiste en tous genres oublie
— De déclarer sa malle. — Ah ! voici les douaniers...

O madame de Staël !... Qu'ont-ils fait de ma malle ?
Lasciate speranza, mes cigares dedans !
O Mignon ! ils ont tout éclos mon linge sale !
Pour le passer au bleu de l'éternel printemps.

Ah ! voici mes amis, les seigneurs *Lazzarones*
Riches d'un doux ventre au soleil,
Des poètes sans vers et des rois sans couronnes
Clyso-pompant l'azur qui bâille dans leur ciel.

Oh ! leur *Farniente*... — Non c'est encor ma malle !
Non ; c'est mon sac de nuit qu'à trente ils ont crevé.
Ils grouillent tout autour comme poux sur la gale ;
Ils ne l'enlèvent pas, *è* [*sic*] *pur si muove !*

Ne les ruolze plus, va, grand soleil stupide,
Tas de jaunes voyous, ça cherche à se nourrir —
Ce n'est plus le lézard, c'est la sangsue à vide —
Va, *povero*, ne pas voir Naples et dormir !

Page 117.

Str. VII, v. 1 : Mazanielli. Allusion probable à *La Muette de Portici* d'Auber, sur un livret de Scribe et Delavigne, inspirée des exploits de Thomas Aviello, dit Masaniello, pêcheur napolitain qui, au XVIIe siècle, prit la tête d'une révolte contre les occupants espagnols.

Page 117.   VÉSUVES ET Cie

A : Texte initial en deux strophes, cité d'après le brouillon, par René Martineau.

B : Manuscrit reproduit par Jean de Trigon.

A

AU VÉSUVE

Railway di Pompeia. — C'est moi Vésuve, et Toi ?
Est-ce toi cette fois, cette bonne montagne ?
Toi que je vis jadis tout petit, en Bretagne,
Sur un bel abat-jour, chez une tante à moi.

Ô toi qui vins à moi la première, ô montagne !
Je viens à toi, te voir exprès, à la campagne,
Le vrai Vésuve est toi, l'on m'a volé vingt francs
Mais les autres, c'est drôle... étaient plus ressemblants.

B

Railway di Pompeia. — C'est moi, Vésuve et toi ?
Est-ce toi cette fois, cette belle montagne ?
Toi que je vis jadis tout petit en Bretagne
Sur un bel abat-jour chez une tante à moi.

Tu te découpais noir sur un fond transparent
Et la lampe grillait les feux de ton cratère.
C'était le confesseur, je crois de ma grand'mère
Qui t'avait rapporté de Rome tout flambant.

J'ai vu ton frère ou toi
Je t'ai revu depuis, devant de cheminée,
À Marseille, mais là tu n'avais plus de feu,
Bleu sur fond rose avec ta Méditerranée

Page 118.   SONETO A NAPOLI

Orthographe correcte : al sole, alla luna, al sabato, al canonico : au soleil, à la lune, au samedi, au chanoine (et tutti quanti avec Polichinelle).

Str. II, v. 3 : Corne au front et corde au seuil. L'édition de 1891 et les suivantes, dont celle d'Y.-G. Le Dantec, remplacent le second corne par corde. Nous nous en tenons, comme P.-O. Walzer, à l'originale de 1873 : corne.

Page 119.   À L'ETNA

Épigraphe : premier vers de la quatrième *Bucolique* de Virgile : « Muses de Sicile, élevons un peu nos chants. »

Page 120.   LE FILS DE LAMARTINE ET DE GRAZIELLA

De nombreuses ébauches et variantes de ce poème, déchiffrées par Y.-G. Le Dantec sur l'exemplaire personnel de Corbière, sont reproduites dans l'édition critique de la Bibliothèque de la Pléiade (p. 1316 et suivantes).

Page 121.

Str. IV, v. 4 : raffalé : qui a subi des revers de fortune.

Page 123.   LIBERTÀ

A la cellule IV *bis* (prison royale de Gênes) : L'incarcération de Corbière est peu probable. P.-O. Walzer fit à Gênes

toutes les recherches possibles, ne trouva sur aucun registre
de l'époque le nom du poète. Tristan s'est peut-être inspiré
de la pièce *Le Mie Prigioni* « dans laquelle Musset rappelle
le souvenir d'un emprisonnement bien réel à la prison de la
garde nationale ».

Une première version des strophes 3 et 4 figurait au verso
du manuscrit de *La Cigale et le Poète :*

> Et changeons de livrée
> De chemise et de tout
> Ma vie est délivrée
> D'un reste de dégoût
> Vraie ou fausse se r'ouvre.
> Une virginité
> Et que ton baiser couvre
> Ta franche nudité.
>
> Ta ceinture dorée
> Est dans le grand égout
> Dépouillons la livrée
> Et la chemise et tout
> Que tout mon baiser couvre
> Ta franche nudité.

ARMOR

Page 133.   NATURE MORTE

« La " Brouette de la Mort " — Karigel an Ankou — se
rencontre dans mainte légende de la Basse-Bretagne; il en
est plusieurs fois question dans les célèbres études d'Anatole
Le Braz. » Note d'Y.-G. Le Dantec (Tristan Corbière, *Les
Amours jaunes*).

Page 134.   UN RICHE EN BRETAGNE

Une première version de ce poème a été révélée en 1904
par René Martineau :

UN RICHE EN BRETAGNE

Savez-vous ce que c'est qu'un vieux pauvre en Bretagne,
Vous, pouilleux de pavé sans eau pure et sans ciel?
Lui, c'est un philosophe errant dans la campagne;
Son pain noir est bien sec, mais pas beurré de fiel,
Et quand il n'en a pas, il va dans une crèche;
Une vache lui prête un peu de paille fraîche;

Il s'endort rêvassant pour demain un bon Dieu,
Et, le matin, se lève en bâillant au ciel bleu.

. . . .

Voilà tout! — Quand on a quelque chose, on lui donne,
Il rit et se secoue, alors, tousse et rognonne
Un *pater* en latin, et la canne à la main
Il reprend sa tournée en disant : à demain.

. . . .

S'il faisait quelque chose, il perdrait la pratique.
Il doit garder intact son vieux blason mystique;
Il faut qu'il soit *un pauvre*. — Au coin de tout foyer,
Il a son trou, tout près du grillon familier.
Il porte les cancans, il sait plus d'une histoire
À faire froid au dos, quand la nuit est bien noire...
Et, l'on ne sait pas trop, on dit que, sur le seuil,
Il peut bien vous jeter, s'il veut, le mauvais œil.
Mais il n'est pas méchant, il va dans les familles
Proposer ou chercher un parti pour les filles.
Alors il est de noce, on le place au milieu
Du gala; c'est pour lui qu'est *la part-du-bon-Dieu*.
Dieu doit être content, car il est ramassé
Toujours le lendemain au revers du fossé.

Ah! s'il avait été connu du doux Virgile,
Il eût été classé par Monsieur Delille
Comme un « *trop fortuné s'il connût son bonheur* ».

. . . .

Il le connaît, allez! ce marmiteux seigneur.

Montagne d'Arrez.

Épigraphe : citation de Virgile (*Géorgiques*, II, 458-459) :
« Trop heureux l'habitant des campagnes, s'il connaissait
son bonheur! »

Page 135.

Cornandons : nains fabuleux.

Page 138.   LA RAPSODE FORAINE
ET
LE PARDON DE SAINTE-ANNE

Citant le chef-d'œuvre de Corbière, Verlaine écrivait au
premier chapitre des *Poètes maudits :* « Quel Breton breton-
nant de la bonne manière! L'enfant des bruyères et des
grands chênes et des rivages que c'était! Et comme il avait,
ce faux sceptique effrayant, le souvenir et l'amour des fortes
croyances bien superstitieuses de ses rudes et tendres

compatriotes de la côte! Écoutez ou plutôt voyez, voyez ou plutôt écoutez (car comment exprimer ses sensations avec ce monstre-là?) ces fragments, pris au hasard, de son *Pardon de Sainte-Anne*. » Pour P.-O. Walzer, « si les litanies centrales appelées *Cantique spirituel* sont un admirable pastiche d'une prière personnellement assumée, ce qui domine dans le reste du poème, c'est l'aspect kermesse et cour des miracles : Bosch et Bruegel. Plus que l'aspect religieux, c'est l'aspect humain qui l'emporte ».

René Martineau voit la genèse de ce poème dans un passage d'un livre d'Édouard Corbière, *Voyage de trois jours dans le Finistère*, (Cric-Crac, Paris, Cadot, 1846), reproduit dans la Bibliothèque de la Pléiade, p. 1328.

Une autre influence, surtout sur le rythme de *La Rapsode foraine*, a été relevée par Jean de Trigon : celle d'une pièce du *Gaillard d'avant* de Gabriel de La Landelle (ami des Corbière), portant le même titre : *Le Pardon de Sainte-Anne* (v. Pléiade, p. 1 327).

Page 148.   CRIS D'AVEUGLE

Ann hini goz signifie : la vieille femme.

Page 151.   LA PASTORALE DE CONLIE

Transposition du récit conté à Tristan par son beau-frère, Aimé Vacher, engagé volontaire, immobilisé avec 50 000 Bretons dans la boue du camp de Conlie, près du Mans, en octobre 1870, sur l'ordre de Gambetta, par crainte d'un complot royaliste.

Le poème fut d'abord imprimé, dans *La Vie parisienne* du 24 mai 1873, sous la forme suivante :

LA PASTORALE DE CONLIE

Dédié à Maître Gambetta
par un mobilisé du Morbihan.

Puisque, de renouveau, vous *faites* la Bretagne,
    Moins par plaisir que par état,
Vous n'avez pas le temps d'aller à la campagne...
    N'est-ce pas, maître Gambetta?...

Et vous avez brûlé la plaine de Conlie
    Où votre rappel a battu!...
Où l'écho vous eût dit le passé qu'on oublie,
    Sur l'air : *Soldat, t'en souviens-tu?*

· · · · · · · · · ·

Qui nous avait levés dans le mois noir, Novembre,
  Et parqués comme des troupeaux
Pour laisser dans la boue, au mois plus noir, Décembre,
  Des peaux de chèvre, avec nos peaux?

Qui nous a lâchés là, vides, sans espérance,
  Sans un levain de désespoir,
Nous entre-regardant, comme cherchant la France...
  Comiques, faisant peur à voir?

Soldats tant qu'on voudra!... Soldat est donc un être
  Fait pour perdre le goût du pain?...
Nous allions mendier; on nous envoyait paître,
  Et... nous paissions à la fin!

S'il vous plaît : Quelque chose à mettre dans nos bouches...
  — Héros et bêtes à moitié —
Ou quelque chose là : du cœur, ou des cartouches!
  On nous a laissé la pitié!

L'aumône, on nous la fit. Qu'elle leur soit rendue
  À ces bienheureux uhlans soûls
Qui venaient nous jeter une balle perdue...
  Et pour rire... — comme des sous.

On eût dit un radeau de naufragés... Misère!
  Nous crevions devant l'horizon.
Nos yeux troubles restaient tendus vers une terre;
  Un cri nous montait : Trahison!

Trahison?... Non! En guerre on trouve à qui l'on crie!...
  Nous, pas besoin. Pourquoi trahis?...
Sans coup férir, chez nous, sur la terre Patrie
  On mourait du mal du pays.

Un grand enfant nous vint, aidé par deux gendarmes.
  Celui-là ne comprenait pas.
Tout barbouillé de vin, de sueur et de larmes,
  Avec un *biniou* sous son bras,

Il s'assit dans la neige en disant : — Ça m'amuse
  De jouer mes airs; laissez-moi.
Et le surlendemain, avec sa cornemuse,
  Nous l'avons enterré. — Pourquoi!...

Pourquoi?... Dites-leur donc, vous du Quatre-Septembre.
  À ces vingt mille croupissants,

Citoyens-décréteurs de victoires en chambre,
      Tyrans forains impuissants!

Ah! que Bordeaux, messieurs, est une riche ville!...
      Encore en France, n'est-ce pas?
Elle avait chaud partout, votre garde-mobile,
      Sous les balcons marquant le pas!

Quels chefs! Ils faisaient bien de se trouver malades!
      Armés en faux Turcs-Espagnols,
On en vit quelques-uns essayer des parades
      Avec la troupe des Guignols.

Mais à nous qui mourions, bayant à la bataille,
      Gibier de morgue sans nom,
Attendant que l'un d'eux vînt nous crier : Canaille!
      Au canon la chair à canon!

On donnait l'abattoir. Bestiaux galeux qu'on rosse,
      On nous fournit aux Prussiens;
Et de loin, nous voyant plats sous les coups de crosse,
      Ces messieurs criaient : Bons chiens!

Hallali! ramenés! — Les perdus, Dieu les compte!...
      Abreuvés d'un banal dédain,
Poussés, traînant au pied la savate et la honte,
      Crachons sur notre honneur éteint!

. . . .

Et toi, tiède encore, ô fosse de Conlie,
      De nos jeunes sangs appauvris,
Qu'en voyant regermer tes blés gras on oublie
      Nos os qui végétaient pourris,

La chair plaquée après nos blouses en guenilles,
      Ce fumier tout seul rassemblé!...
Ne mangez pas ce pain, mères et jeunes filles :
      L'odeur de mort est dans le blé.

                                  TRISTAN.

GENS DE MER

Page 158. MATELOTS

Str. III, v. 3 et 4 : vers imités de *L'Albatros* de Baudelaire :
Ce voyageur ailé, comme il est gauche et veule !
. . . .
L'un agace son bec avec un brûle-gueule,...
Str. III, v. 6 : désoûler : orthographe de l'originale.

Page 160.

Douce-Jolie : la promise (traduction du breton douzic koant).

Page 161.

Gargousse : charge de poudre dans son sac (terme d'artillerie).

Pelletas (ou pelletats) : hommes qui déchargent la morue salée, à Terre-Neuve.

Page 162. LE BOSSU BITOR

Str. I, v. 6 : Le rôle d'équipage désigne à la fois le titre de commandement, le permis de naviguer, et — comme ici — la liste de l'équipage.

Page 164.

Bordailleur : « dérivé de bordailler, louvoyer à petites bordées » (Christian Angelet, *La Poétique de Tristan Corbière*).

Page 166.

Mayeux : bossu célèbre du siècle passé.

Page 168.

Amatelotter : « apparier deux hommes, pris chacun dans une bordée, et qui seront le matelot l'un de l'autre » (Jean Merrien, *Dictionnaire de la mer*).

Page 169.

Matrulle : matrone (en argot).
Tortillou : tortillard.

Page 173.   AURORA

Variante parue dans l'édition Vanier de 1891 :

AQUARELLE

Le matin. — Effet de printemps
Appareillage de corsaire. De la rade de Binic
Roul' ta boss', tout est payé,
Hiss' le grand foc, hiss' le grand foc !

Quatre-vingts corsairiens, des corsairiens de proie
Avaient leur chique à bord de la *Fille de joie*,
Une belle goélette, écumeuse d'Anglais.
... Et l'on appareillait — un tout petit vent frais
Soulevait doucement la chemise d'Aurore.
L'écho des cabarets hurlait à terre encore
Et tous à bord chantaient, en larguant les huniers,
Comme des perroquets perchés dans des palmiers.
Ils avaient passé là quatre nuits de liesse
La moitié sous la table et moitié sur l'hôtesse.
Adieu, la belle, adieu ! — Va pour courir bon bord,
Va, la *Fille de joie !* au nord-est-quart de nord !...
Et la *Fille de joie* en frisottant l'écume,
Comme un fantôme blanc se couchant dans la brume,
Et le grand flot du large en sursaut égayé
Mugissait en courant déferler sur le roc :

« Hisse le grand foc, hisse le grand foc,
« Roule ta bosse, tout est payé,
« Hiss' le grand foc !!!... »

L'épigraphe est un emprunt au *Voyage en Chine*, opérette
de François Bazin sur un livret d'Eugène Labiche et d'Alfred
Delacour (Référence de René Martineau. *Types et proto-
types*, Messein, 1931).

Page 174.   LE NOVICE EN PARTANCE
ET SENTIMENTAL

Mathurin désignait, aux XVIIIe et XIXe siècles, un homme
atteint de folie. Corbière donne ici au terme un sens parti-
culier puisqu'il le traduit dans sa note par « Dumanet
maritime », autrement dit : un fier-à-bras appartenant à la
marine.

Dumanet : type du troupier fanfaron et ridicule, popularisé
par les caricatures (note de P.-O. Walzer).

Page 178.

Un espèce : Nous maintenons ici, contrairement aux éditions antérieures, l'orthographe de l'originale, qui semble

justifiée à la fois par l'emploi répété des masculins et par le langage populaire.

Page 180.   BAMBINE

V. 1 : panais : ombellifère de la famille du navet.

Page 185.   AU VIEUX ROSCOFF

Un fascicule des *Marches de Provence*, publié en août-septembre 1912 donnait une variante aux strophes I, II et IV de ce poème. Nous reproduisons la dernière, proche du manuscrit mis à jour par Jean de Trigon :

> Ils n'écumeront plus ces flots
> Qui te faisaient une ceinture
> Rouge de sang, rouge de vin
> Rouge de feu. Dors sur ton sein.

Page 186.   LE DOUANIER

Des deux versions retrouvées par Ida Levi, nous gardons ici la plus ancienne (manuscrit Bodros) :

LE DOUANIER DE MER
(Oraison funèbre)

> Pauvre Douanier, voilà que l'on te rogne,
> Tu vas passer et mourir sans façon
> Mais je t'empêcherai de tourner en charogne
> Car je vais t'empailler avec une chanson.

> Ange gardien, culotté par la brise,
> Providence à moustache grise,
> Vieil oiseau salé du bon Dieu !

> Toi que l'on voit dans la tempête
> Sans auréole à la tête
> Sans ailes à ton habit bleu !!

. . . .

> Dans la nuit lorsque la tourmente
> Frissonne sur la vague écumante
> Et hurle dans le roc noir,
> Toujours une bouffarde ardente
> Rougit... Tiens, Douanier, bonsoir.

> Je t'aimais, modeste amphibie,
> Tendre comme fleur en amour,
> Et ta vieille trogne fourbie
> Lorsque tu me disais bonjour.

Un vrai bonjour de brave homme
Qui sortait de l'estomac,
Tout imbibé de rogomme,
Tout embaumé de tabac.
J'aimais ton petit corps de garde
Perché comme un goëland
Qui regarde
Dans les quatre aires de vent.
Là, tranquille et solitaire,
Loin de tout contrebandier,
Tu ruminais ta chimère :
« Deux galons de brigadier. »
Allons, vieux, un coup de blague!
Nous l'avons bien dur le sommeil?
Et nous regardions la vague
En fumant la pipe au soleil.

. . . .

Un soir, t'en souvient-il? — Je te vis redoutable,
Sous ton bras nerveux frémissait la table
Où gisait épars du papier timbré,
Ta plume grinçait dans ta main alerte
Et de temps en temps ta lunette verte
Sillonnait d'éclairs ton nez cambré :
Contre deux rasoirs d'Albion perfide
Ah! c'est que morbleu! tu verbalisais
Plus quatre couteaux, plus un baril vide
Et puis tu lisais et tu relisais.

. . . .

Tu savais tout, Gablou, ton vaste souvenir
Flânait sur le passé, le présent, l'avenir,
Tu prédisais le temps quinze jours à l'avance
Les noces du village et le sort de la France,
Tu savais tous les bruits, les cancans d'alentour,
Les nouvelles de nuit, les nouvelles de jour.
Tu connaissais la lune et l'heure des marées
Les intrigues d'amour sur la côte, amarrées
Dans un trou de rocher, et les amants discrets
Pour ton esprit subtil n'avaient pas de secrets.
Tu m'aurais dit pourquoi notre jeune vicaire
Ressemble beaucoup trop au poupon du vieux maire,
Et même un calembour « d'accouplement de cœur »
Tu m'aurais dit : « L'enfant est un enfant de chœur. »

———————— . ————————

Mais c'en est trop, Gablou, ferme ton corps de garde
Peut-être pour toujours! Allume ta bouffarde

Et prenons notre vol comme deux alcyons
Pour chercher dans le schnick des consolations.

Page 190.   LE NAUFRAGEUR

Un brouillon manuscrit du début de ce poème a été publié
en fac-similé par Jean Rousselot, dans son *Tristan Corbière :*

BARCAROLLE DES KERLOUANS NAUFRAGEURS

Et je rôderai, seul oiseau d'épave
Sur la grève que la mer lave
Oiseau de malheur à poil roux
J'ai vu dans mon rêve
La bonne vierge des Brisans
Qui jetait à ses pauvres gens
Un gros navire sur leur grève
Sur la grève des Kerlouans
Aussi goélands que les goélands.

Le sort est dans la mer, cormoran nage
Le vent porte en côte... un coup de vent noir
Moi, je sens en moi le naufrage
Moi, j'entends corner le nuage
Moi je vois dans la nuit sans voir
Moi je chante quand la mer gronde
Oiseau de malheur à poil roux
J'ai promis aux douaniers de ronde
Beaucoup de gin anglais pour rester dans leur trous

Str. II, v. 2 Mois noir : novembre.

Page 191.   À MON COTRE LE NÉGRIER

Le Négrier est le titre du plus célèbre roman maritime
du père de Tristan, qui baptisera ainsi son cotre. Le voilier
fut vendu en 1871, remplacé par un yacht, *Le Tristan,* auquel
succéda un nouveau cotre, *Le Redan* (Corbière disait :
Le Nader).

Page 193.

Chicaner le vent : « le serrer de trop près, en bordant trop
plat, et en faseyant toujours un peu » (Jean Merrien, *Dictionnaire de la mer*).

Rafalé : voir la note de la page 121 *(Le fils de Lamartine
et de Graziella)* où le mot est écrit avec deux f.

RONDELS POUR APRÈS

Page *199*.

« La plus fine, la plus ténue, la plus pure partie comme art : *Rondels pour après*... » (Jules Laforgue, *Mélanges posthumes*).

Page *203*.   MIRLITON

1er vers : ferreur de cigales : rêveur invétéré.

POÈMES RETROUVÉS

Page *224*.   LES PANNOÏDES

Nous reproduisons ci-dessous un fragment de ce poème, publié sous le titre *Ay Panneau* dans *Les Marges* du 15 octobre 1925, par René Martineau, et qui diffère du manuscrit découvert par Y.-G. Le Dantec :

AY PANNEAU

Ballade imitée de l'espagnol
(Air : *Ay Chiquita*.)

L'on dit, Panneau, que ta femme,
Je t'en fais mon compliment,
Va, pour couronner sa flamme,
T'expectorer un enfant.
En passant devant ta porte,
Sans télescope, à l'œil nu,
J'ai vu, le diable m'emporte,   } *bis.*
Quelque chose de cornu.

Refrain.

Ah! qui voudrait si l'infidèle
Voulait ombrager ton front
Collaborer avec elle,
Pauvre ange à te faire affront.
Qui voudrait avec la cruelle
Ay Panneau, ô ô ô ô ô
Souiller le mari modèle.   } *bis.*
Tu peux porter le front haut.

Refrain.

Panneau, l'on dit qu'une biche
A pour la maternité
Partagé... mais qué qu'ça m'fiche
Car, pour la paternité

Lorsque l'épouse est volage
Il faut avoir sous la main
Pour les cornes du ménage
Une chèvre et c'est très sain. } *bis.*

Refrain.

Prends bien garde dans l'église
En portant le nourrisson
De l'appeler Artémise
Surtout si c'est un garçon.
Pour le sexe des familles
On consulte les médecins
Sans quoi on verrait des filles
Gendarmes et capucins. } *bis.*

Refrain.

Quand j'ai fait cette complainte
Ma muse avait mal aux reins.
Hélas! elle était enceinte;
Il me fallait un parrain :
C'est toi, greffier poétique,
Ay Panneau ô ô ô ô,
Toi que j'ai mis en musique
Pour violon et Pariseau. } *bis.*

Refrain.

Page 242. DEUX DÉDICACES DES « AMOURS JAUNES »

M. Le Vacher : beau-frère de Corbière. S'identifiant parfois avec son père, qu'il admirait, Tristan l'appelait « mon gendre »; parlant de sa mère, il disait : « ma femme ».

M, Le Gad : aubergiste de Roscoff, chez lequel Tristan rencontra Marcelle.

Page 243.   PARIS NOCTURNE

Str. III, V. 4 : les fils de Bondy : chiffonniers, note P.-O. Walzer : « Bondy-sous-merde » était le surnom du village de Bondy, où se trouvait alors le dépotoir (Delvau, *Dictionnaire de la langue verte*, 1867).

ŒUVRES EN PROSE

Page 251.   CASINO DES TRÉPASSÉS

Revalescière (p. 255) : ou revalenta, « substance alimentaire qui a pour base de la farine de lentilles décortiquées » (Littré).

PRINCIPALES ÉDITIONS

1873 *Les Amours jaunes* Ça. Les amours jaunes. Raccrocs. Sérénade des Sérénades. Armor. Gens de mer. Rondels pour après. — Librairie du xixe siècle. Glady frères, éditeurs. Paris.

1891 *Les Amours jaunes.* Léon Vanier, libraire-éditeur. Paris.

1912 *Les Amours jaunes.* Préface de Charles Le Goffic. Albert Messein, éditeur. Paris.

1920 *Les Amours jaunes.* Notice de René Martineau. Georges Crès et Cie. Paris.

1942 *Les Amours jaunes.* Édition critique, avec une introduction et des notes de Yves-Gérard Le Dantec. Éditions Émile-Paul frères. Paris.

1947 *Les Amours jaunes.* Introduction de G. Jean-Aubry. Éditions A.A.M. Stols. La Haye-Paris.

1950 *Les Amours jaunes.* Préface de Tristan Tzara. Le Club Français du Livre. Paris.

1953 *Les Amours jaunes.* Édition augmentée de poèmes et proses posthumes. Introduction et appendice critique par Yves-Gérard Le Dantec. Gallimard.

1970 *Œuvres complètes* de Tristan Corbière : *Les Amours jaunes, Poèmes retrouvés, Œuvres en prose, lettres.* Chronologie, introduction, notes et variantes de Pierre-Olivier Walzer. « Bibliothèque de la Pléiade ». Gallimard. On trouvera dans cette édition une bibliographie complète des ouvrages consacrés à Tristan Corbière auxquels il convient d'ajouter ceux parus depuis 1970 :

Henri Thomas : *Tristan le Dépossédé* (Gallimard, 1972).
Micha Grin : *Tristan Corbière, poète maudit* (Le Nant d'Enfert-Payot, 1972).

SÉRÉNADE DES SÉRÉNADES

RACCROCS

Table 309

POÈMES RETROUVÉS

Table 311

Michel Deguy : *Poèmes 1960-1970*. Préface d'Henri Meschonnic.

Robert Desnos : *Corps et biens*. Préface de René Bertelé.

Robert Desnos : *Fortunes*.

Jacques Dupin : *L'embrasure*, précédé de *Gravir* et suivi de *La ligne de rupture* et de *L'onglée*. Préface de Jean-Pierre Richard.

Paul Éluard : *Capitale de la douleur*, suivi de *L'Amour, la poésie*. Préface d'André Pieyre de Mandiargues.

Paul Éluard : *Poésie ininterrompue*.

Paul Éluard : *La Vie immédiate*, suivi de *La Rose publique*, *Les Yeux fertiles*, et précédé de *L'Évidence poétique*.

Paul Éluard : *Poésies 1913-1926*. Préface de Claude Roy.

Léon-Paul Fargue : *Poésies (Tancrède, Ludions, Poèmes, Pour la musique)*. Préface d'Henri Thomas.

Léon-Paul Fargue : *Épaisseurs*, suivi de *Vulturne*. Préface de Jacques Borel.

Jean Follain : *Exister*, suivi de *Territoires*. Préface d'Henri Thomas.

Maurice Fombeure : *A dos d'oiseau*.

André Frénaud : *Il n'y a pas de paradis*. Préface de Bernard Pingaud.

Jean Grosjean : *La Gloire*, précédé de *Apocalypse, Hiver* et *Élégies*. Préface de Pierre Oster.

Guillevic : *Terraqué*, suivi de *Exécutoire*. Préface de Jacques Borel.

Hölderlin : *Hypérion*. Préface de Philippe Jaccottet.

Victor Hugo : *Les Contemplations*. Préface de Léon-Paul Fargue.

Philippe Jaccottet : *Poésie 1946-1967*. Préface de Jean Starobinski.

Max Jacob : *Le Cornet à dés*. Préface de Michel Leiris.

Francis Jammes : *Le Deuil des primevères (1898-1900)*. Préface de Robert Mallet.

Francis Jammes : *De l'Angelus de l'aube à l'Angelus du soir (1888-1897)*. Préface de Jacques Borel.

Pierre Jean Jouve : *Les Noces*, suivi de *Sueur de Sang*. Préface de Jean Starobinski.

Pierre Jean Jouve : *Diadème*, suivi de *Mélodrame*.

Francis Ponge : *Pièces*.

Raymond Queneau : *L'Instant fatal*, précédé de *Les Ziaux*. Préface d'Olivier de Magny.

Raymond Queneau : *Chêne et chien*, suivi de *Petite cosmogonie portative* et de *Le chant du Styrène*. Préface d'Yvon Belaval.

Pierre Reverdy : *Plupart du temps*, tome I. Préface d'Hubert Juin.

Pierre Reverdy : *Plupart du temps*, tome II.

Pierre Reverdy : *Sources du vent*, précédé de *La balle au bond*. Préface de Michel Deguy.

Rimbaud : *Poésies, Une saison en enfer, Illuminations*. Préface de René Char.

Armand Robin : *Ma vie sans moi*, suivi de *Le monde d'une voix*. Préface d'Alain Bourdon.

Claude Roy : *Poésies*. Préface de Pierre Gardais et Jacques Roubaud.

Saint-John Perse : *Éloges*, suivi de *La Gloire des Rois*, de *Anabase* et de *Exil*.

Saint-John Perse : *Vents*, suivi de *Chronique*.

Saint-John Perse : *Amers*, suivi de *Oiseaux*.

Georges Schehadé : *Les Poésies*, suivi de *Portrait de Jules* et de *Récit de l'an zéro*. Préface de Gaëtan Picon.

Philippe Soupault et André Breton : *Les Champs magnétiques*, suivi de *S'il vous plaît* et de *Vous m'oublierez*. Préface de Philippe Audoin.

Jules Supervielle : *Gravitations*, précédé de *Débarcadères*. Préface de Marcel Arland.

Jules Supervielle : *Le forçat innocent*, suivi de *Les amis inconnus*.

Rabindranath Tagore : *L'Offrande lyrique*, suivi de *La Corbeille de fruits*. Introduction d'André Gide.

Jean Tardieu : *Le fleuve caché (Poésies 1938-1961)*. Préface de G. E. Clancier.

Jean Tardieu : *La part de l'ombre. Proses 1937-1967*. Préface d'Yvon Belaval.

Henri Thomas : *Poésies*. Préface de Jacques Brenner.

Tristan Tzara : *L'Homme approximatif (1925-1930)*. Préface d'Hubert Juin.

Paul Valéry : *Poésies (Album de vers anciens, Charmes, Amphion, Sémiramis, Cantate du Narcisse, Pièces diverses de toute époque).*

Paul Valéry : *Eupalinos, L'Ame et la danse, Dialogue de l'arbre.*

Paul Verlaine : *Fêtes galantes, Romances sans paroles* précédé de *Poèmes saturniens.* Préface et notes de Jacques Borel.

Alfred de Vigny : *Poèmes antiques et modernes. Les Destinées.* Préface de Marcel Arland.

Louise de Vilmorin : *Poèmes.* Préface d'André Malraux.

Ce volume,
le quatre-vingt-douzième de la collection Poésie,
a été achevé d'imprimer
le 7 mai 1973
sur les presses de Firmin-Didot S.A.

Imprimé en France
N° d'édition : 18054 — N° d'impression : 2074
Dépôt légal : 2ᵉ trimestre 1973